Casa de Oxumarê

Casa de Oxumarê
OS CÂNTICOS QUE ENCANTARAM *Pierre Verger*

ANGELA LÜHNING
SILVANILTON ENCARNAÇÃO DA MATA

Copyright © 2020, Editora Arole Cultural. Todos os direitos reservados.

É proibida qualquer forma de reprodução, transmissão ou edição do conteúdo total ou parcial desta obra em sistemas impressos e/ou digitais, para uso público ou privado, por meios mecânicos, eletrônicos, fotocopiadoras, gravações de áudio e/ou vídeo ou qualquer outro tipo de mídia, com ou sem finalidade de lucro, sem a autorização expressa da editora.

Fotografia de capa (Pierre Verger): Jean-Loup Pivin
Fotografia de capa (Fachada do Terreiro): acervo Casa de Oxumarê
Preparação de texto: Diego de Oxóssi e Rayanna Pereira
Revisão: Jaqueline Vasconcellos e Emerson Cabral

Dados Internacionais de Catalogação na Publicação (CIP)

L951c	Lühning, Angela.
	Casa de Oxumarê: Os cânticos que encantaram Pierre Verger / Angela Lühning, Silvanilton Encarnação da Mata. - São Paulo, SP : Arole Cultural, 2020.
	ISBN 978-65-86174-08-3
	1. Religiões afro-brasileiras. 2. candomblé. 3. Pierre Fatumbi Verger. 4. História das religiões afro-brasileiras. 5. Música sacra afro-brasileira. I. Mata, Silvanilton Encarnação da. II. Título.
	CDD 299.6
2020-2783	CDU 299.6

Índice para catálogo sistemático:
1. Religiões afro-brasileiras 299.6
Elaborado por Vagner Rodolfo da Silva - CRB-8/9410

No candomblé, a música
É mais que um simples som,
É uma forma de comunicação
Entre os homens e os Orixás.

Através dos cânticos e toques de atabaque
Invocamos nossas divindades
Pedindo a sua presença e proteção.

É também uma maneira de expressar
Uma cultura de fé e liberdade.

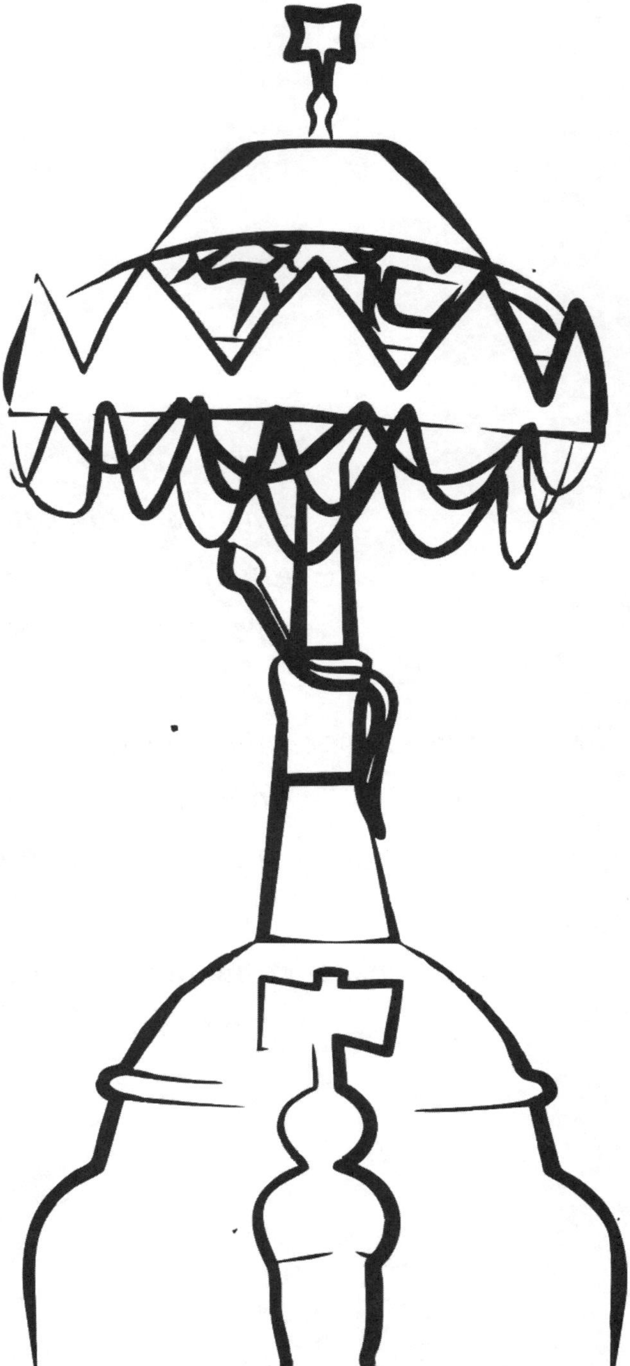

O Encanto da Casa de Oxumarê

Oxumarê,

Princípio da multiplicidade da vida, transcurso de múltiplos e variados destinos, símbolo da continuidade, da permanência, da fortuna e da riqueza, arco-íris que transporta as águas, e que esteve conosco desde o Obitedó, conduzindo Talabi a fundar o nosso axé entregando-o a Xangô, Senhor da vida e da justiça.

Protegeu-nos em momentos de intensa perseguição, desde o bairro da Cruz do Cosme até a Mata Escura, onde, finalmente, fincamos raízes pelas mãos de seu filho Antônio de Oxumarê.

Senhor e Patrono de nossa Casa, na qual se preserva a história de um grupo de escravos e seus descendentes, que souberam reconstruir uma base familiar preservando a sua identidade cultural e religiosa através do culto aos Orixás e Voduns, e cujos cânticos encantaram Pierre Verger.

c'est un bon gars.

Agostinho da Silva, seul - professeur) portugais d'origine, mais pas de con (est-ce qu'on écrit comme ça ?) qui a présenté un projet au Recteur pour la fondation d'un Institut d'Études Afro-Orientales. Il sera une spèce de coordinateur et établira des rapports avec les différentes organisations intéressés au su-

Agradecimentos

Aos ancestrais e aos Orixás.

À comunidade, aos amigos, aos filhos e filhas de santo da Casa de Oxumarê.

Aos participantes da gravação que compartilharam momentos de suas vidas e lembranças:
Dona Filhinha, Seu Januário, Seu Geraldo e Seu Erenilton.

Aos demais interlocutores durante a pesquisa que concederam entrevistas importantes:

<u>Pessoas do axé e seus familiares:</u>
Seu Urbano, axogum da casa, ogã do tempo de Mãe Cotinha; Dona Estefânia (Sinhazinha, Gamo de Xangô), do primeiro barco de Mãe Simplícia; egbomi Cotinha de Oxalá, do segundo barco de Mãe Simplícia; egbomi Edelzuita de Omolu, do terceiro barco de Mãe Simplícia; egbomi Ana de Ogum, do quarto barco de Mãe Simplícia; Seu Cidinho, ogã do tempo de Mãe Simplícia; egbomi Kutu, da Casa Branca, cujas irmãs fizeram santo no Oxumarê no tempo de Mãe Cotinha; Seu Etelvino, ogã do Tumba Junçara, terreiro de Ciríaco, na Vila América; Dona Angelina, irmã de Seu Paizinho e Seu Januário; Dona Marina e Dona Edna, filhas de Seu Paizinho; Dona Marinalva e Dona Joveci,

filhas de Seu Urbano; egbomi Tania, filha de Mãe Simplícia e irmã de Mãe Nilzete e Seu Erenilton; egbomi Sandra Bispo, sobrinha de Mãe Simplícia e prima de Mãe Nilzete; Dona Délia, esposa de Seu Erenilton; Seu Walter, fundador do Colégio Nabuco, na Vasco da Gama, antigo frequentador e conselheiro da casa; Pai Pérsio; Mãe Bete de Oxalá; Mãe Walquíria de Oxum; Mãe Cidália de Irôco; Mãe Nilza de Ogum; Mãe Elza de Oxóssi; Tia Dó de Ossain; e em especial a Babá Pecê, Silvanilton da Encarnação Mata, filho biológico de Mãe Nilzete e atual babalorixá do Ilê Oxumarê.

Especialistas, estudiosos, historiadores e amadores:
João Reis, Luis Cláudio Nascimento, Carlos Alberto Quirino da SETIN, pelas indicações de fontes importantes e pelas conversas sobre a Vasco da Gama; Francisco Sena, historiador e arquiteto, pelas explicações sobre o crescimento urbano na região do Dique; Seu Walter dono do armazém Aliança, na Vila América, pelas explicações; Seu Nelson (*in memoriam*), pelas conversas nas escadas da Vila América; Mariely do CEAB da UFBA, pelas discussões sobre mapas e expansão urbana; Padre Edimilson da Igreja de Brotas, pelas dicas sobre a história da paróquia; Jussilene Santana, pelas trocas de ideias; Wlamyra Albuquerque e Luis Nicolau Parès, pelos esclarecimentos históricos; Guido Araújo, pelas pistas sobre o filme "Bahia de Todos os Santos"; Pierre Verger, quem nos despertou para as gravações, lembrando de seus relatos que resultaram em anotações pessoais desde os anos 80, aproveitadas na pesquisa; Vivaldo da Costa Lima (*in memoriam*).

À equipe que participou diretamente da pesquisa e do processo da finalização do projeto
André Santos (ogá da casa), Gustavo Melo (prof. do Espaço Cultural Pierre Verger), Gean Claudio Santana, (ogá da casa), Laila Rosa

(pesquisadora da Fundação Pierre Verger), Frederico Lacerda (Kiko, omô Orixá da casa), Lisa Earl Castillo (pesquisadora) e Luis Augusto Santos (Tinho, ogã da casa). Com destaque à atuação de Aaron Lopes, Jussilene Santana e Laila Rosa por suas contribuições com textos para os anexos do livro, e Lisa Castillo por suas valiosas sugestões e complementações na revisão do texto final.

Aos assistentes da equipe: traduzindo, digitando e resolvendo questões técnicas de equipamento:

Laurisabel Silva, pelas traduções do francês; Marcus Felipe Lühning Franca, pela digitação das citações e pela leitura criteriosa; Ricardo Pamfilio; Devisson Fernandes, pelas fotos e pela conversão dos arquivos de áudio, todos do Espaço Cultural Pierre Verger; e Rafael Celestino pela digitalização das fotos do acervo da Fundação Pierre Verger.

Aos autores, acervos e fotógrafos que disponibilizaram manuscritos, fotos, imagens e postais:

Igor Katunda (São Paulo), Jamil Abib (Rio Claro), Acervo Martim Gonçalves / Jussilene Santana (Rio de Janeiro), Instituto Feminino da Bahia (Salvador), Tânia Bispo, Casa de Oxumarê, Fundação Pierre Verger, Lázaro Roberto, Célia Aguiar, Raul Lody, TV UFBA e Jan M. van Holthe/EDUFBA.

Aos responsáveis pela técnica de som, diagramação, transcrição e revisão:

Tadeu Mascarenhas, pela masterização dos CDs; Cristina Almeida, pela diagramação e arte; Renata Fonseca, pela transcrição textual do inventário; e Mariângela Nogueira, pela revisão - todos à edição de 2010. À Jaqueline Vasconcellos e Emerson Cabral, que gentilmente realizaram a revisão para a edição de 2020.

Aos demais envolvidos em vários momentos do processo de realização do projeto:
Marcos Rezende e Iraildes Andrade (Casa de Oxumarê), Ana Rita Machado, Antônio dos Santos Junior, Deisy Queiroz e, em especial, Luis Carlos do Nascimento (Petrobras) como gestor do projeto, pois, sem ele nada teria acontecido.

À Editora Arole Cultural e ao babalorixá Diego de Oxóssi, pela reedição da obra em comemoração aos 10 anos de seu primeiro lançamento.

Sumário

O Encanto da Casa de Oxumarê 7
Agradecimentos 9
Sumário 13
O renascimento de um momento mágico 15
As gravações históricas de Pierre Verger na Casa de Oxumarê: uma memória de infinitas aventuras 17
Introdução 19
A cidade de Salvador no final do século XIX 23
    Os caminhos para chegar ao terreiro 30
A Casa de Oxumarê na memória das pessoas 43
    A memória coletiva e oral da Casa de Oxumarê 44
    A resistência, a busca da história e as origens da Casa de Oxumarê 56
    A Casa de Oxumarê em fontes escritas 64
Pierre Fatumbi Verger e suas pesquisas 75
Ciclo matriarcal da Casa de Oxumarê 91
    Ìyá Cotinha de Ewá 92
    Ìyá Simplícia de Ogum 93
    Ìyá Nilzete de Iemanjá... 94
    Babá Pecê de Oxumarê 95
A história da gravação 97
    A correspondência entre Pierre Verger e Martim Gonçalves 109

A HISTÓRIA DE VIDA DOS PARTICIPANTES 117
    OS PARTICIPANTES NO CONTEXTO SOCIAL DA ÉPOCA 140
A MÚSICA NO CANDOMBLÉ 153
O REPERTÓRIO DA GRAVAÇÃO 163
    AS LETRAS DOS CÂNTICOS POR VERGER 165
    OUÇA OS ÁUDIOS GRAVADOS POR PIERRE VERGER 169
EPÍLOGO 173
    CONSTRUINDO PONTES PARA O FUTURO 173
GLOSSÁRIO 174
NOTAS BIOGRÁFICAS DE EUNICE KATUNDA, MARTIM GONÇALVES E
PIERRE VERGER 180
REFERÊNCIAS BIBLIOGRÁFICAS 185

O Renascimento
de um Momento Mágico

O cidadão francês, nascido Pierre Edouard Leopold Verger, já havia deixado há tempos a vida burguesa da Paris dos anos 30, já assumira a profissão de fotógrafo, viajara pelos cinco continentes acompanhado pela sua Rolleyflex e assumira sua nova existência como Fatumbi quando, em dezembro de 1958, realizou, autorizado e acompanhado pela iyalorixá Mãe Simplícia do Ilê Oxumarê, um extraordinário conjunto de gravações das cantigas sagradas do candomblé, executadas em saudação aos Orixás, pelos alabês do terreiro.

Naquela época, Verger ainda não havia fixado residência na casa vermelha do Alto do Corrupio, na Vila América, justo em frente à Casa de Oxumarê, mas a sua já longa convivência com as casas de santo das nações Jeje e Ketu, na Bahia e na África, lhe tinha permitido estabelecer os necessários relacionamentos com a Casa de Oxumarê, viabilizando sua pretensão de registrar, em áudio, os cânticos sagrados que tanto o fascinavam.

A Fundação Pierre Verger, que só viria a ser instituída em 1988, tem imenso orgulho em ter podido participar do projeto de disponibilização e publicação do registro definitivo dessas gravações, mantidas inéditas no acervo de Verger por mais de 50 anos.

Cumpre-nos agradecer a todos aqueles que participaram do projeto original, junto com Pierre Fatumbi Verger: além de Mãe Simplícia,

Casa de Oxumarê

as filhas de santo e os alabês da Casa de Oxumarê, bem como Eunice Katunda e Martin Gonçalves, amigos de Verger, cada um com sua parcela de responsabilidade na realização da gravação. Mas também nos cumpre reconhecer a imensa contribuição de Luiz Nascimento, do babalorixá Pecê de Oxumarê, de André Santos e de Angela Lühning, que estiveram à frente do renascimento do momento mágico daquelas gravações, gerando ainda um magnífico texto, transformado em livro, que transporta o leitor, com maestria, para o ambiente em que então vivia o povo de santo e a própria cidade do Salvador.

Gilberto Sá
Presidente da Fundação Pierre Verger

As gravações históricas de Pierre Verger na Casa de Oxumarê: uma memória de infinitas aventuras

Esta obra, que ora se lança para a apreciação do público, é o resultado da soma de aventuras vivenciadas no passado, que se materializam no presente e se lançam para o futuro do povo de santo. Se, por acaso, essas aventuras fossem contabilizadas, por certo seriam agrupadas na categoria matemática dos conjuntos infinitos, onde também figuram os sonhos, os valores, os desejos, as vontades e as memórias. São aventuras de todos aqueles que se esmeraram para a concepção, pesquisa, gestão e, sobretudo, patrocínio da publicação deste legado. Aventuras dos que compartilharam suas histórias de vida, seus sonhos, suas frustrações, enfim suas memórias mais antigas. Aventuras de nossos deuses, os Voduns e Orixás - eles que todos os dias dançam, cantam, confraternizam-se, revivem e rememoram as suas aventuras míticas, através de nossas aventuras diárias na fé.

Essas memórias em forma de cânticos - cânticos que encantaram Pierre Verger - são de todos aqueles que emprestaram a voz e as mãos para, em uníssono, louvar os Voduns e Orixás, segundo a tradição do nosso canto e do nosso toque. E, agora, finalmente publicadas, constituem-se numa tentativa de aprender a epopeia de uma tradicional família de santo, que adentra o século XXI mantendo a mesma dignidade dos seus ancestrais no culto às suas divindades.

Casa de Oxumarê

Esse livro é, portanto, a soma dos relatos orais das nossas agbás, de fontes documentais de arquivos públicos e jornais, de acervos fotográficos, de fontes bibliográficas, enfim, de um rosário de contas construído pela memória que se mantém viva há várias gerações da família de santo do Ilê Oxumarê.

Neste rosário, desfilam as memórias das aventuras do fundador da Casa, Talabi - Manoel Joaquim Ricardo -, do seu sucessor Salakó - Antônio Maria Belchior, o "Antônio das Cobras".

Este, por sua vez, é sucedido por Pai Antônio Manoel Bonfim, conhecido como "Antônio de Oxumarê". Mãe Cotinha de Ewá inaugura o ciclo matriarcal que regerá gerações do povo de santo, das quais fazem parte, em ordem de sucessão, Mãe Simplícia de Ogum e Mãe Nilzete de Iemanjá, que é sucedida pelo seu filho biológico, Babalorixá Silvanilton de Oxumarê - Silvanilton Encarnação da Mata, Babá Pecê.

Dessas gerações, e para a finalidade dessa obra, destaca-se Mãe Simplícia de Ogum que, ao aceitar o desafio proposto pelo mensageiro Pierre Fatumbi Verger, nos brinda com os registros fonográficos que ora são apresentados acompanhados do texto que tem como coautores o Babalorixá Silvanilton Encarnação da Mata e Angela Lühning.

"Casa de Oxumarê: cânticos que encantaram Pierre Verger" é uma obra que, a um tempo resgata aspectos relevantes da memória da Casa e a alegria de ser e pertencer ao culto aos Orixás e preserva uma cultura milenar.

Kó ìtan Ilé Òsùmàrè ati orin pèlú
APRENDA A HISTÓRIA DA CASA DE OXUMARÊ E SEUS CÂNTICOS TAMBÉM

Babalorixá Pecê de Oxumarê

Introdução

Ao apresentar as gravações históricas de Pierre Fatumbi Verger no Ilê Oxumarê ao público em geral, propomos um mergulho no contexto da cultura afro-brasileira em Salvador, abordando a gravação realizada por Verger, em 1958, com vários integrantes do Ilê Oxumarê sob diversos ângulos. Para entender a trajetória deste projeto, realizado em plena parceria com a então iyalorixá, Mãe Simplícia, precisamos não somente falar da história da casa e das histórias de vida das pessoas que participaram desta empreitada, mas também do contexto da época e da cidade.

Este livro é resultado da pesquisa realizada em parceria entre as duas instituições responsáveis pela finalização: a Casa de Oxumarê e a Fundação Pierre Verger. Ele se dirige tanto a pessoas que conhecem Salvador, quiçá até a própria casa de candomblé[1], quanto a pessoas de outros lugares ou contextos culturais que não tem nenhuma familiaridade com Salvador ou nem conhecem ainda o mundo do candomblé. Do mesmo modo, espera-se conseguir atrair tanto o interesse do leitor pouco familiarizado com este tipo de escrita, quanto trazer novas informações para o leitor mais especializado ou acadêmico.

Neste sentido, buscamos o equilíbrio entre o detalhamento da história local e uma discussão mais geral do contexto cultural da época,

---

1 Para as pessoas menos familiarizadas há um glossário no final do livro para dirimir possíveis dúvidas sobre os termos próprios usados no decorrer do texto

lembrando que lidamos com uma micro história que vai além daquilo que em geral é oferecido em livros de história, digamos de cunho mais representativo da história oficial. A micro história aqui apresentada envolve lembranças de pessoas, bem como inclui documentos, fotos antigas e materiais diversos que podem completar o quebra-cabeça da trajetória desta casa, na contramão da história. Tomara que acertemos na medida e no equilíbrio destas diversas fontes e os seus detalhamentos para que todos os possíveis leitores se sintam contemplados[2].

Há vários personagens principais que compõem essa história, todos eles em igual parte importantes. Mas já que é necessário começar com um deles, colocamos o local da história aqui tratada em primeiro lugar: a Casa de Oxumarê - o Ilê Oxumarê, localizada na atual Avenida Vasco da Gama -, protagonizando a história através de seu contexto geográfico e religioso e através de seus membros. O idealizador da proposta da gravação foi Pierre Fatumbi Verger, outro personagem da nossa história, responsável pelo convite feito à casa para participar da gravação, aceito e acolhido por Mãe Simplícia. E, finalmente, temos as pessoas que participaram desta gravação e ainda puderam falar sobre ela, mesmo que alguns deles tenham falecido durante o processo de finalização deste projeto. Além disso, devem ser mencionados ainda os vários visitantes da Casa de Oxumarê que nos deixaram em cartas, livros e manuscritos inéditos algumas observações de grande importância sobre a relação desta casa com a sociedade em vários momentos de sua existência secular.

Também teremos que abordar a situação da sociedade baiana do final do século XIX para entender a inserção do terreiro em um contexto

---

2 Como inspiração para a discussão de novos olhares na área de história recomenda-se a leitura do livro de Peter Burke (org.), que nos seus vários capítulos aborda conceitos como a história de baixo, micro história, história oral, história de mulheres etc. (BURKE. P. A escrita da história. São Paulo: Novas perspectivas - UNESP, 1991).

cultural e social maior, evidenciando o que aparece de característico e especial nas falas das pessoas e nos diversos documentos encontrados. De forma geral, deve ficar claro também que o recorte de tempo abordado pelo texto se concentra mais no passado recente da casa, devido ao terna central - a gravação feita 62 anos atrás -, do que no seu momento atual, contemporâneo, que traria outras demandas e novos desafios.

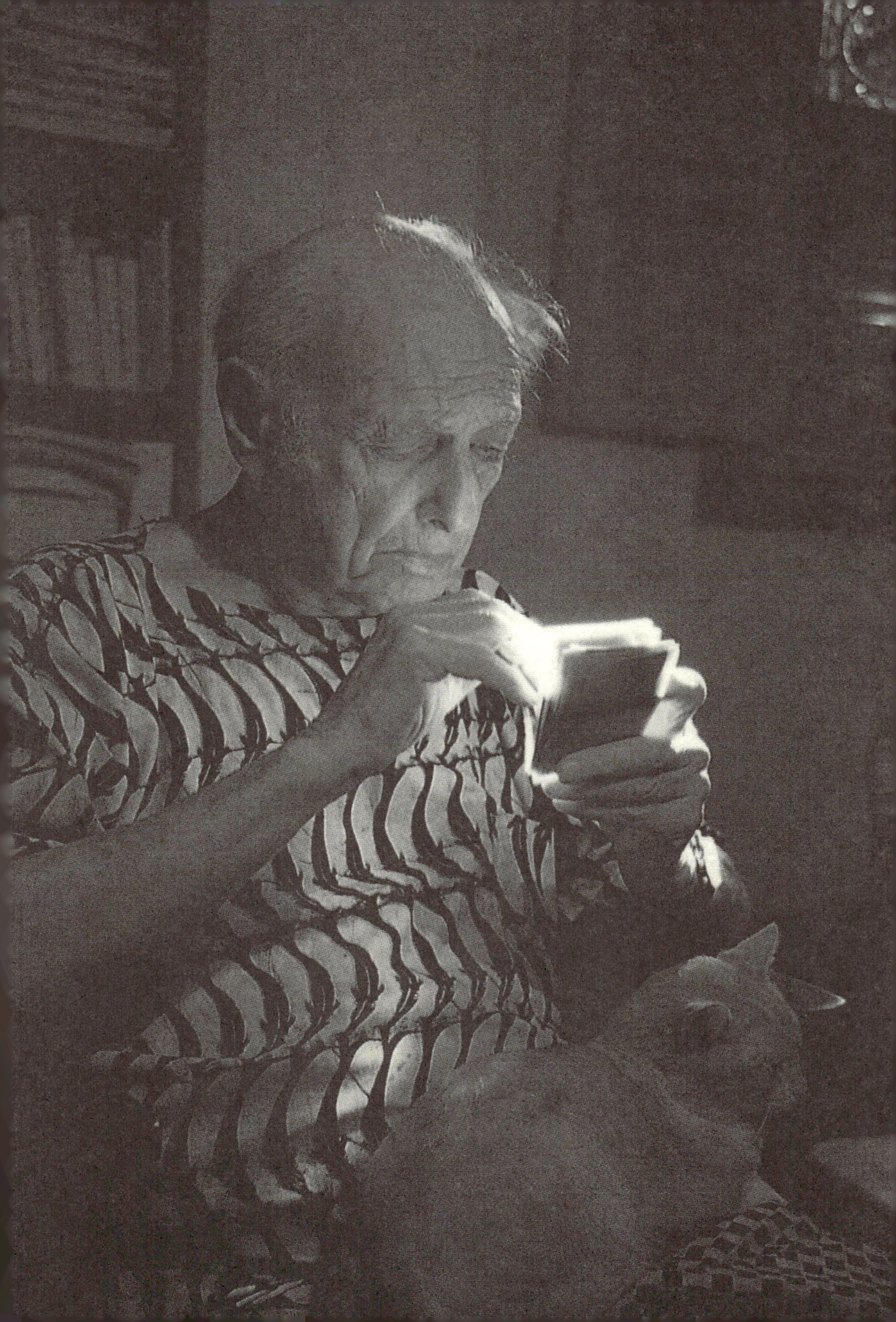

A cidade de Salvador no final do século XIX

por Angela Lühning

O barracão do Ilê Oxumarê está situado em uma alta colina, rua lateral de uma encosta íngreme, que se alcança após subir 132 degraus a partir da atual Avenida Vasco da Gama, no 343, endereço oficial da casa, mesmo depois de ter sido construído um segundo acesso por cima. Atualmente, o terreno se situa na região central de Salvador, mas nem sempre a sua localização foi tão acessível. Para poder entender as modificações de acesso à casa é importante voltar no tempo e conhecer as modificações urbanas que alteraram a geografia da cidade.

Imaginemos a cidade de Salvador por volta de 1900 ou, melhor ainda, há cerca de 150 anos, quando sua dimensão geográfica era muito menor e apresentava ritmo de vida e estrutura social bem diferentes do quadro atual. Qual era o perfil da cidade e de seus habitantes por volta de 1860? Pelo censo de 1872, Salvador tinha cerca de 130.000 habitantes e 20 anos depois contava com 145.000[3]. Era dividida em 10 freguesias,

---

[3] Segundo Katia M. de Queiroz Mattoso, (Bahia, século XIX. Uma província no Império, Rio de Janeiro, Editora Nova Fronteira, 1992, pp.87 e 111), os números exatos seriam 129.109 e 144.959, respectivamente, embora exista certa margem de erro. Já o engenheiro alemão Julius Naeher (Land und Leute in der Brasilianischen Provinz Bahia. Streifzüge, Leipzig, Gustav Weigel Verlag, 1881, p. 73), informa no seu relato de

uma espécie de regiões administrativas que concentravam as atividades religiosas dirigidas pelos párocos, tanto dentro da igreja como nas ruas, com procissões e visitas de santos às casas particulares. Mas, a elas também eram atribuídas funções políticas e econômicas, uma vez que cabia aos párocos registrar em livros específicos, nos Registros Eclesiásticos de Terras, as fazendas, os engenhos, os sítios ou chácaras chamadas "roças", situadas nos limites das cidades[4].

Das 10 freguesias de Salvador, a maior parte encontrava-se na região central da cidade, que aos poucos foi se ampliando em extensão, avançando para áreas mais afastadas, como veremos adiante. Em geral, as freguesias eram divididas em 2 quarteirões, criados pelos juízes de paz, conforme critérios próprios, contanto que em cada quarteirão houvesse um mínimo de 25 casas habitadas[5]. Entretanto, este critério não era aplicado nas áreas mais afastadas do centro. Muitas das divisórias entre freguesias eram construídas por marcos naturais, como os vales profundos com pequenos rios, que caracterizam a topografia de Salvador. Cabe ressaltar que apenas no período republicano, depois de 1889, as antigas freguesias foram transformadas em distritos.

Por volta de 1850, a cidade passa por profundas mudanças em relação ao seu processo de urbanização[6], que inclui a criação de serviços

---

viagem o número de 152.000 habitantes, baseado no censo de 1861, embora 20 anos depois, na época de sua visita já se estime o número de 220.000 almas. Chama atenção a discrepância entre os números, mas em relação aos mencionados por Naeher, devemos levar em conta que ele passou poucos dias na cidade antes de seguir para o Recôncavo, embora tenha levantado muito material para fundamentar o seu livro. As traduções deste livro para o português foram feitas por Angela Lühning.
4 Mais informações sobre a divisão administrativa da cidade em Ana Amélia Nascimento (As dez freguesias de Salvador. Salvador, EDUFBA, 2007, p.45).
5 Nascimento, As dez freguesias. p.46.
6 Consuelo Novais Sampaio, 50 anos de urbanização. Salvador as Bahia no séc. XIX. Salvador Odebrecht, 2005.

básicos para a população, dividida entre cerca de ¼ de brancos e ¾ de negros e mulatos, muitos deles ainda escravizados[7]. Entre estes serviços básicos, podem ser mencionados o abastecimento de água com a fundação da Companhia do Queimado, instalando chafarizes e organizando o uso de fontes[8], além de investimentos em iluminação pública, pelo menos nos bairros de maior poder aquisitivo. Além disso, obras de canalização de cursos de água e saneamento são empreendidas na região da atual Barroquinha e da Baixa dos Sapateiros, antiga Rua da Vala, com o aterro de áreas alagadiças e pantanosas.

Tais obras foram impulsionadas pelos problemas causados na área de saúde pública. Neste período, a cidade passou por algumas epidemias como febre amarela, impaludismos (malária) e cólera, deixando muitos mortos em todos os segmentos da população. Após o aterramento, foram executadas novas obras viárias, permitindo a ligação de bairros - até então de difícil acesso - por meio da criação de estradas e, em seguida, pela implantação dos meios de transporte público[9]. Estas questões são muito importantes para ilustrar a acessibilidade ao terreiro. Existem várias descrições da cidade e de seus habitantes neste período, cerca de 150 anos atrás, deixadas por vários autores. Elas evidenciam os passos das transformações urbanas que desde então ocorreram e se tornam importantes fontes para a compreensão das relações sociais.

Não podemos esquecer que estamos falando do período imperial, do momento da proibição oficial do tráfico de escravos, em 1851, antes da Lei do Ventre Livre de 1871, da abolição oficial da escravidão e da

---

[7] Naeher Land und Leute, p.73, ainda menciona 4000 estrangeiros e Mattoso, Bahia século XIX, p. 118-119, aborda também outros grupos populacionais não incluídos no censo de 1872, como marinheiros, crianças etc.
[8] Sampaio, 50 anos de urbanização, p.129.
[9] Idem, pp.145-181.

Casa de Oxumarê

Proclamação da República. Esta situação aponta para a necessidade de reflexões sobre a estruturação e o inter-relacionamento dos grupos sociais que constituíam o período. Nas décadas anteriores, desde o final do século XVIII, ocorreram vários movimentos de contestação e levantes em Salvador - a chamada Conjuração Baiana, Revolta dos Búzios ou Revolta dos Alfaiates, em 1798; a Sabinada, em 1837-38 e a Revolta dos Malês, em 1835[10] - envolvendo segmentos diferentes da população. Os primeiros dois movimentos eram inspirados em ideias de liberdade advindas da Revolução Francesa, buscando a independência, um Estado republicano e o fim da escravidão. Mesmo não sendo exitosos em relação aos objetivos imediatos, fomentaram discussões intensas na sociedade da época. Começaram a ser construídos lentamente processos de mobilidade social e caminhos de ascensão social para as classes mais baixas, embora o caminho até hoje não tenha levado ao destino[11].

Essas discussões remetem à circulação de informação, instrução e ensino formal. É importante lembrar que desde 1830 existiam as primeiras escolas, chamadas escolas das primeiras letras, até em freguesias como Brotas e Vitória, mas o acesso era difícil por questões sociais e raciais. Em 1875, só 7% das crianças em Salvador frequentavam a escola[12]. Embora

---

10 A revolta dos Malês foi exaustivamente estudada por João Reis, que menciona também outros levantes menores de escravos entre 1807 e 1821. João José Reis, Rebelião escrava no Brasil. A história do levante dos Malês em 1835. São Paulo, Companhia das Letras, 2003, todos eles se originam na péssima situação da mão de obra escrava, além de serem resultado de diferenças étnicas originárias ainda da África Ocidental

11 Um caso bastante interessante foi levantado por João José Reis no seu livro Domingos Sodré: um sacerdote africano, o que nos traz a esperança de conhecer no futuro ainda outras trajetórias de africanos libertos que deixaram contribuições importantes na sociedade de sua época. João José Reis, Domingos Sodré, Um sacerdote africano: escravidão, liberdade e candomblé na Bahia do século XIX. São Paulo, Companhia das Letras.

12 José Augusto Luz e José Carlos Silva, História da educação na Bahia. Salvador, Arcádia, 2009, pp. 149 -154.

ainda não existisse a obrigatoriedade da instrução primária, após o recenseamento escolar, realizado a partir das novas leis, em 1889, é prevista a criação de escolas a partir de número mínimo de crianças de ambos os sexos em idade escolar. Esta política permite à educação escolar no Brasil dar os primeiros passos.

Outra questão importante ligada às relações entre os diferentes grupos populacionais refere-se às diferentes visões de bem-estar físico e espiritual, entendendo que são aspectos que envolvem diretamente o nosso tema. Quais são os referenciais religiosos das pessoas que habitavam Salvador naquele período? Quais as possibilidades de cuidados com a saúde do corpo e da alma? No período observado, já existia a Faculdade de Medicina em Salvador. Foi criada como primeira do país, entretanto os médicos só estavam disponíveis à população em geral por intermédio de serviços sociais da Santa Casa de Misericórdia da Bahia[13], que provia cemitérios, asilos e orfanato. Porém, a maior parte da população de origem africana não tinha acesso a estes serviços. Ao contrário, tinham como única referência no âmbito da saúde física e espiritual aqueles representantes que sempre cuidaram de seu bem-estar físico, além de reforçar os valores culturais fundamentais para a integridade espiritual: babalaôs, iyalorixás e babalorixás, que conheciam profundamente o poder de plantas medicinais e mantinham as religiões de seus antepassados. Todavia, estes conhecimentos não eram reconhecidos pela população não africana, considerados "*afrontas à moralidade pública*". Mesmo depois de 1900, os babalaôs eram chamados de feiticeiros; os babalorixás de charlatões; os raizeiros acusados do exercício ilegal de medicina e os frequentadores vistos como desequilibrados e até doentes. Nos jornais da época encontram-se várias notícias que usam estes termos:

---

13 Paulo S. da Costa, Ações Sociais da Santa Casa de Misericórdia da Bahia. Salvador, Contexto 2001, pp. 30-67.

Casa de Oxumarê

Do candomblé para o feitiço é o mesmo que passar de um compartimento a outro, sob o mesmo teto [...] A feitiçaria na Bahia, em dias idos, era uma instituição formidável. Em 1875 contavam-se às dezenas os crioulos e africanos de ambos os sexos, feiticeiros de nomeada, para o bem ou para o mal, conforme o desejo do cliente. Todos eles eram ao mesmo tempo paes e mães de terreiro, ou de santo. Mas a recíproca não era regra geral.

São os pontos mais afastadas da cidade, os mais escolhidos pelos pais e mães de santos, que se apossam de uma casa quase sempre anti-hygienica, onde se accumulam desde 6 horas da noite às 6 horas da manhã, tocando monotamente em língua bárbara, dançando sem cessar. Até que ou por effeito de toxico como queria o dr. Nina ou por ataques hystero-epilepticos ou hipinotismo, como julgava o dr. Tillemon, enchem ao chão em contorsões, esgares, com gritos incessantes, como os sabbats dos feiticeiros dos tempos medievais.

A ignorância de uns, corrupção de outros, que exploram estas condições do vulgo ignorantes, fez uma mostra de tanta fé, como se fossem verdadeiros sacerdotes de uma religião aceitável os paes e mães de terreiros, não escapando nem policiaes, médicos e professores que julgam-se honrados com o título de ongans protectores nas ocasiões difficeis, com os cercos e diligencias policiaes, etc.[14]

As informações sobre estes contextos sociais e históricos encontram-se diluídas em várias fontes, e dificilmente o leitor não especializado

---

14 Diário de Notícias, "Fetichismo e africanismo", 16/9/1911

teria acesso à história de contextos urbanos mais cotidianos, especialmente quando se trata de regiões fora das áreas centrais e habitadas por pessoas de menor poder aquisitivo. Por outro lado, em geral, não era de interesse dos mais abastados conhecer lugares menos visíveis, e tampouco os responsáveis pela circulação de informação cogitavam se distanciar dos caminhos mais habituais de sua rotina urbana. As consequências destas lacunas na percepção do outro e na construção de conhecimento histórico voltado para o cotidiano da população em geral e, especialmente, da população afrodescendente são perceptíveis até o momento atual.

Neste sentido, pode-se dizer que a região onde se localiza o Ilê Oxumarê, por muito tempo, não interessava à opinião pública, e, pensando bem, até hoje ela ainda não interessa muito. O terreiro situa-se à margem de uma das avenidas centrais de Salvador, ladeada por oficinas de carro e serviços vários, a atual Avenida Vasco da Gama. Através dela, pessoas apenas passam a caminho para o centro ou para fora dele, sem conhecer e saber da história deste lugar e das tantas histórias das pessoas que por ali passaram. Pior, muitas vezes nem as pessoas ali residentes consideram a história local como importante, por real desconhecimento e em consequência das relações complexas e assimétricas entre poder, construção de saber e acesso ao conhecimento.

A Avenida Vasco da Gama atual, à primeira vista, não oferece belezas naturais ou algo que chame a atenção de um observador pouco atento. Em geral, é considerada apenas uma típica avenida de circulação do trânsito denso, ladeada por bairros ou regiões habitadas por populações de baixa renda, supostamente apenas bolsões de pobreza, apresentando crescentes problemas de convivência e de violência. Assim, aparentemente, a região pode não despertar interesse, entretanto, materializa uma história fascinante que muito tem a ver com a história do crescimento urbano de Salvador durante os últimos 200 anos.

Portanto, para entender a consolidação do atual terreiro Ilê Oxumarê é preciso "viajar" com os antigos meios de transporte nos arredores da cidade em crescente expansão, especialmente a partir do final do século XIX. Com esta finalidade, convida-se o leitor a embarcar nesta viagem por vários momentos da história de Salvador, a partir de um olhar especial sobre a região localizada entre o Dique do Tororó e o Rio Vermelho. A região abriga a casa de candomblé que é o centro de nossa atenção e o palco para as histórias de vida de muitos personagens a serem inseridos no texto deste livro. A importância do Dique para as casas de candomblé da região era tão grande que "*os candomblezeiros do Gantois, da Mata Escura, do Engenho Velho, do Bogum, do Pauzerrê e outros lugares cercãos, iam botar os presentes no Dique, durante a festança anual da Rainha das Águas*"[15], como diz um texto de 1930. Em consequência das transformações urbanas, o papel central do Dique para os festejos do dia 2 de fevereiro, aos poucos, foi sendo transferido para o Rio Vermelho.

Os caminhos para chegar ao terreiro

Tentemos refazer o caminho para chegar à região do terreiro antes de 1900. Para quem conhece Salvador hoje, é difícil imaginar que só na segunda metade do século XIX, nos anos 1860-70, é aberta uma via de acesso à região, a então Estrada Dois de Julho que ligava a cidade ao atual bairro do Rio Vermelho. O acesso a esta estrada começava na saída da região central da cidade, no final da Rua da Vala, hoje chamada Sete Portas, passando por toda a lateral do Dique do Tororó, do lado do atual Engenho Velho de Brotas, antes de alcançar a Estrada Dois de Julho,

---

15 João da Silva Campos, "Tradições bahianas", Revista do Instituto Geográfico-Histórico nº56 (1930), p.416.

seguindo o rio Lucaia, que saía do Dique em busca do Rio Vermelho. Também parece ter existido um acesso à estrada por meio de uma ladeira íngreme no final do atual bairro da Fazenda Garcia.

O Ilê Oxumarê faz parte da região onde se situa o Dique do Tororó, uma enorme lagoa natural sobre a qual existem diversas informações escritas nos últimos 200 anos, a partir da passagem de viajantes estrangeiros que deixaram descrições, impressões e desenhos com detalhes interessantes. Assim, dispõe-se de pistas importantes que ajudam na reconstituição da história da região do terreiro na época de sua criação.

Uma das primeiras referências encontradas data de 1808: um marinheiro holandês, Ver Huell, descreveu o Dique como um local cheio de jiboias, região bastante distante da cidade e pouco visitada por pessoas[16]:

> *Quando o tempo estava favorável, às vezes, estendia meus passeios até as Lagunas situadas a uma meia hora fora da cidade. Estas vinham a ser lagoas pequenas, cercadas de morros cobertos de mata, onde a Boa slangen (ou Boa constrictor) se criava. Embora o encontro com este imenso animal rastejante não pudesse ser um evento agradável, eu não temia tal fato, ainda mais porque acabava sempre fazendo neste local uma boa captura de soberbos insetos. Ao redor brincavam e jogavam-se na água as lavadeiras, todas negras, que ali lavavam e coravam a roupa branca, uma prova de que estas cobras permanecem apenas nas partes mais isoladas das matas. Não longe dali situava-se uma casa de campo denominada Boa Vista, com uma alta torre de quatro faces*

---

16 Q.M.R. Ver Huell, Minha primeira viagem marítima, 1807-1810. Salvador, EDUFBA, 2007, p.165.

que se elevava acima das matas circunvizinhas e da qual, certamente, tem-se uma soberba vista sobre os arredores da cidade.

Desenho das margens do Dique de Ver Huell

Dado semelhante sobre o Dique é exposto por Luís Vilhena, escritor e professor baiano, na mesma época[17]. Meio século depois, em 1860,

---

17 Luis dos Santos Vilhena, A Bahia no século XVIII. Editora Itapuã, Salvador, 1969(1ª edição, 1802), p.103, comenta sobre o Dique e várias das fontes próximas a ele, o que permite entender a extensão da cidade no final do séc. XVIII: "Pela parte próximo ao grande Dique, que em outro tempo cobria por ali a cidade, como diante direi, e por detrás do convento do Desterro em uma comprida baixa, fica com primeiro lugar a fonte das Pedras; e mais diante, além do Dique a Fonte Nova; de ambas elas se bebe, apesar de ser a sua água grossa, e pesada. Dentro já na cidade, um pouco abaixo da igreja, e freguesia de Santa Ana, fica a fonte do Gravatá, a mais imunda, e pior de todas; é, porém, a mais frequentada por ser a única pública, que há dentro da cidade. "Além da descrição do Dique fora da cidade ele continua comentando sobre as fontes na região: "Há mais na campanha por detrás do convento da Lapa, uma fonte chamada de Tororó, e pouco adiante desta, em uma baixa próxima ao Dique, há um olho d'água

OS CÂNTICOS QUE ENCANTARAM *Pierre Verger*

quando o Dique é descrito por outro visitante da cidade, o austríaco Maximiliano de Habsburgo, continua sendo apresentado como um local fora da cidade. Maximiliano fala de uma densa vegetação, cheia de árvores frutíferas enormes, muitas trepadeiras, flores, animais peçonhentos, aves e borboletas, sendo frequentado apenas por algumas lavadeiras negras e seus filhos, moradores das encostas em volta, e um eventual transeunte. Mas não há registros conhecidos que descrevam a existência de caminhos que contornassem o Dique, havia apenas algumas trilhas, quando estas existiam.

> *Descendo a encosta por onde já tínhamos passado, deixamos a cidade, e a natureza ardente e exuberante acolheu-nos em seus braços verdes. Mangueiras lançavam sua copa fresca por sobre o caminho íngreme, touceiras de bambu invadiam a rua, mato espesso e trepadeiras etéreas formavam grupos pitorescos e, assim, a natureza, numa decoração cada vez mais rica, levou-nos à joia da Bahia - ao Dique -, com justiça, muito elogiado [...] À nossa esquerda na encosta da qual nos aproximávamos, tínhamos árvores imponentes e tufos espessos de arbustos de todos os tipos. Diante de nós, desdobravam-se de maneira surpreendente, como elementos de decoração, as enseadas da lagoa tão extensa, circundadas por colinas. Em meio a tal abundância de plantas, espalham-se, ramificando-se, as enseadas da lagoa tranquila. Aqui e ali, sobressaindo-se entre as mangueiras ou das bananeiras, de*

---

a que chamam o Barril, o mais perene entre todos, e que não há lembrança de que jamais suasse, não havendo muitos anos que um particular filho da ventura, pugnou bastante por apossar-se dele, e é digno de admiração o não o ter conseguido, porque nesta cidade não há mais que tentar, e teimar."

Angela Lühning e Silvanilton Encarnação da Mata | 33

um verde viçoso, brilha um teto de palha de uma choupana de negros. Ao sul, no horizonte, por trás do verde espesso da mata e contra o céu azul profundo, destacam-se sem perturbarem a paisagem natural, algumas torres e casarios, deixando entrever a proximidade da grande cidade.
Espalhadas, aqui e ali nas elevações e encostas, umas poucas moradias, em torno das quais a mata se aclara, cedendo lugar a uma cultura incipiente. Se não houvesse tais sinais de vida, poderíamos sentir-nos transportados para uma ilha encantada, longe da engrenagem do mundo.[18]

Sabemos que havia poucas construções e edificações naquela região, ao redor do Dique, eram elas: o já mencionado Solar Boa Vista, construído nos últimos anos do século XVIII[19], situado no atual Engenho Velho de Brotas, na Estrada de Brotas; o orfanato da Pupileira da Santa Casa, do lado do Tororó, com acesso pela atual Avenida Joana Angélica, no bairro de Nazaré; um pequeno moinho movido à água - mencionado por Maximiliano de Habsburgo, sem maiores especificações, situando-o ao final do Dique, pelo que indica, perto da larga ladeira no final da Fazenda Garcia, além de pouquíssimas outras construções, em geral bem simples.

Quando conseguimos sair da mata, encontramo-nos em um vale encantado na margem de um regato sombreado de maravilhosas bananeiras que acionava um moinho. Figuras negras, só de calças e chapéu de palha piramidal, e cujos

---

18 Maximiliano de Habsburgo, Bahia 1860- Esboço de viagem (org. Moema Parente Augel). Salvador, Fund. Cultural do Estado, Rio, Tempo Brasileiro, 1982, pp. 99-100
19 Ver Angela Lühning, Memórias do Engenho Velho de Brotas. Salvador, Fundação Pierre Verger, 2009, pp.13-16.

corpos robustos brilhavam com o suor do trabalho, como os bronzes da Antiguidade, sob os raios perpendiculares do sol, ocupavam-se com a colheita e a lavoura.[20]

Seguindo o Dique em direção ao mar, o regato descrito no primeiro mapa da região como Rio do Lucaia, constituía a divisa entre as antigas freguesias da Vitória e de Brotas e os atuais bairros do Engenho Velho de Brotas, da Federação e do Engenho Velho da Federação, já mais perto do bairro do Rio Vermelho. Ambas as freguesias eram de baixa densidade populacional, o que lhes conferia classificação de quase suburbanas[21]. Esta região fora do centro de Salvador só aparece em documentos relativos à cidade a partir de um mapa de cerca de 1860, de autoria de Carlos Weyl[22].

A Estrada Dois de Julho ficava do lado direito do rio para quem saía da cidade em direção ao Rio Vermelho. É importante ressaltar que a pista desta estrada passava, desde a sua construção, na porteira do Ilê Oxumarê. Mais tarde seria construída, neste mesmo traçado, uma linha de bonde de tração animal denominada de "bonde nº 15", ou "Rio Vermelho de Baixo", vindo de Sete Portas. Ele era diferente do "bonde nº 14", "Rio Vermelho de Cima", que passava pela atual Avenida Garibaldi, vindo do Campo Grande, descendo pelo bairro do Garcia, movido a vapor[23].

---

20 Habsburgo, Bahia 1960, p.107
21 Sampaio, 50 anos de urbanização, p.129.
22 O original encontra-se no Arquivo Público do Estado da Bahia. A reprodução foi feita a partir da publicação de Diógenes Rebouças/Godofredo Filho, Salvador da Bahia de Todos os Santos no século XIX. Odebrecht, Salvador, 1996.
23 Sampaio, 50 anos, p. 197, "Diferentemente das demais linhas de transportes urbanos, e como nesse ramal da Trilhos Centrais, na linha do Rio Vermelho trafegavam pequenas locomotivas a vapor, as conhecidas maxambombas. Esse tipo de transporte já

Casa de Oxumarê

Logo depois da construção destas duas linhas para o Rio Vermelho, ambas foram descritas pelo engenheiro alemão Julius Naeher, que passou pela cidade em 1879,

> *(1) Passa no fundo da Montanha, partindo da Praça do Teatro [o antigo Teatro São João, na atual Praça Castro Alves] uma linha especial para o Rio Vermelho. A parada de partida desta segunda linha de bonde está localizada em nível tão baixo que é necessário descer uma pequena ladeira para alcançá-la.*
> *(2) Do Campo Grande segue um bonde a vapor para o arrebalde Rio Vermelho e no futuro deve ser continuado até Itapoã, um balneário no Oceano, ao norte do Farol da Barra.[24]*

Nessas regiões de muita vegetação, em amplas áreas com poucas habitações, mas com muitas hortas e plantações diversas, também se localizavam vários espaços de culto aos ancestrais. Certamente este fato se devia ao distanciamento do centro da cidade, o que dificultava, de certa forma, o acesso à região. Um destes locais destinados ao culto de divindades africanas era o Ilê Oxumarê - de mais de 100 anos.

---

havia sido rejeitado nas grandes cidades dos Estados Unidos, devido a inconvenientes inevitáveis-barulho, fumaça, fuligem, paradas espaçadas, retomada da marcha demorada e também a falta d'água, que torturava os moradores da cidade, causava sérios transtornos, uma vez que as máquinas eram movidas a vapor. Numa dessas ocasiões, em 1886, por exemplo, a companhia comunicou que "enquanto durar a falta d'água da Companhia do Queimado, será suspenso o serviço da linha Rio Vermelho, nos domingos e dias santos à tarde, por não ser possível fazê-lo a animais e sim a vapor. Mas, a despeito de todos os inconvenientes, empregou-se a máquina a vapor em áreas de ocupação rarefeita, devido ao custo mais baixo, em relação aos veículos de tração animal."

24 Naeher Land und Leute, p.77.

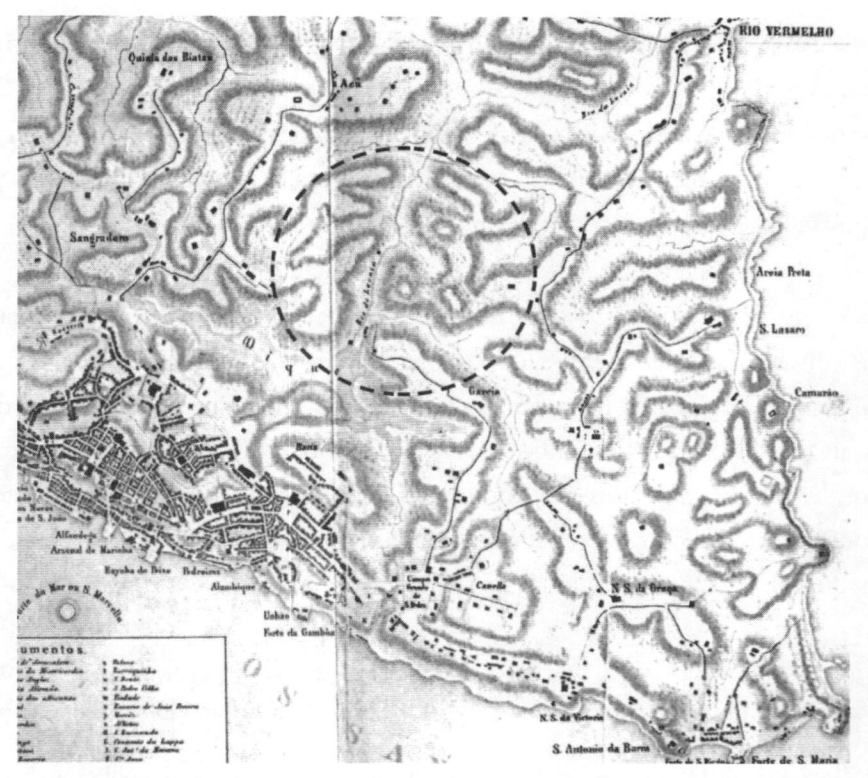

Mapa de Carlos Weyl, cerca de 1860, detalhe da região da Casa de Oxumarê

Para o período anterior, já temos informações sobre outros dados históricos que mostram que a região, mesmo não incluída na percepção de cidade pelas classes mais abastadas, também não era tão desabitada quanto poderia parecer ao olhar desavisado. Por lá moravam pessoas de outros segmentos da população: sabemos de uma batida policial em uma casa de culto na Ladeira do Accu, atual Ladeira do Acupe em 1829[25], na freguesia de Brotas; existem ainda informações sobre a atual Casa

---

25 João José Reis e Eduardo Silva, Negociação e conflito: a resistência negra no Brasil escravista. São Paulo, Companhia das Letras, 1989, pp. 32- 61. Neste texto interessante se discute a invasão do candomblé do Accu, atual Acupe, incluindo vários documentos sobre os juízes de paz da época.

Casa de Oxumarê

Branca[26] e o terreiro do Bogum, ambos situados na freguesia da Vitória, como o Ilê Oxumarê. O Bogum foi palco de várias reclamações solicitando medidas da polícia entre 1860/1870, fornecendo, desta maneira, importantes subsídios para a compreensão da ocupação da região por pessoas ligadas às tradições religiosas de origem africana[27].

A antiga freguesia de Brotas, da qual datam as primeiras informações sobre a região, foi criada em 1718 pelo Arcebispo D. Sebastião Monteiro da Vide[28], vinculada à construção da igreja de Brotas na mesma época. Ela era ainda uma das menos populosas do perímetro urbano de Salvador. Há indícios de que, desde o século XIX, foi vista como área onde poderiam residir africanos envolvidos, ao menos indiretamente, nos diversos levantes e rebeliões que marcaram Salvador desde o final do século XVIII[29], especialmente a Revolta dos Alfaiates e a Revolta dos

---

26 Deve ser citado aqui o artigo de Lisa Earl Castillo e Nicolau Pares, "Marcelina da Silva e seu mundo: novos dados para uma historiografia do candomblé ketu". Afro-Ásia, n°36 (2007), pp.111-152.
27 Luis Nicolau Parès nos traz detalhadas informações sobre as batidas policiais envolvendo o Bogum e outras casas da região, mostrando a efetiva ocupação desta região afastada por pessoas que cultuavam os seus ancestrais, embora as denúncias feitas também evidenciassem que havia outras pessoas, que moravam não muito distantes desses locais, que denunciavam estes rituais. Então devemos entender a questão do afastamento de forma relativa. Luis Nicolau Parès, A formação do candomblé: história e ritual da nação jeje na Bahia. Campinas, Editora da Unicamp, 2006, p.171-179.
28 Nascimento, As dez freguesias, p. 58.
29 Raimundo Nina Rodrigues, Os africanos no Brasil. Rio de Janeiro, Companhia Editora Nacional, 1977, p.114, menciona negros bantus. Além disso, Lisa Earl Castillo encontrou documentos no acervo da Fundação Pierre Verger (notas avulsas de Pierre Verger: insurreições escravas, fl.27) que mencionam a questão. Lisa completou gentilmente as informações contidas nesta nota com as seguintes observações: "A freguesia de Brotas abrigava várias fazendas, cuja mão de obra era escrava. Mas há indícios de que, além de possuir uma população escrava considerável, também residiam muitos africanos libertos no Matatu, na Quinta das Beatas, na Boa Vista e no Candeal. Em 1835, depois da Revolta dos Malês, pelo menos dois residentes da freguesia de Brotas

OS CÂNTICOS QUE ENCANTARAM *Pierre Verger*

Malês. Nesse sentido, parece também que a área da divisa entre as freguesias de Brotas e da Vitória na região do rio Lucaia e da futura Estrada Dois de Julho, atual Avenida Vasco da Gama, havia sido erma e afastada de acessos e, por isso, pode ter atraído pessoas que não queriam chamar atenção, buscando sua liberdade pessoal.

A freguesia da Vitória, segunda mais antiga da cidade, foi fundada em 1561, situada fora do centro. Ela era composta inicialmente por vários núcleos esparsos de habitantes, incluindo dos descendentes de Caramuru[30] a grupos indígenas na região do Rio Vermelho, catequizados desde 1549[31]. No Rio Vermelho e em outras praias ainda mais distantes do centro, ocorria também a caça às baleias, dirigidas à extração do óleo usado como combustível para a iluminação da cidade, antes de virar, no final do século XIX, também um local de veraneio[32], com o processo de expansão urbana. Durante os séculos, a freguesia da Vitória ganhou um

---

foram acusados de terem participado no levante. Foi o caso do liberto haussá Antônio Mendes, que foi "preso nas Brotas com um florete". Seu nome consta no rol dos culpados, mas seu processo não consta mais no acervo do Arquivo Público do Estado da Bahia, e ficamos sem saber em que parte da freguesia morava. Outro réu na insurreição, Joaquim Inácio, forro, nação nagô, era morador da Boa Vista. Questionado pelas autoridades sobre suas atividades no dia da insurreição, respondeu que "tinha saído de sua casa às seis horas [...] à procura de sementes de quiabo, tendo atravessado pela Estrada Central do Engenho Velho e chegando na Estrada de S. Lázaro, porque aí tinha as ditas sementes." Aparentemente, a história dessa caminhada dentro do mato, subindo e descendo ladeiras, convenceu as autoridades, pois Joaquim Inácio consta como absolvido na lista dos culpados. Ver também: João José Reis, "O rol dos culpados: notas sobre um documento da rebelião de 1835". Anais do Arquivo Público da Bahia, vol. 48 (1985), pp.109-118.

30 Nascimento As dez freguesias, p.54.
31 Para esta finalidade tinha uma aldeia localizada no Rio Vermelho, além de várias outras espalhadas em torno da cidade ainda em construção, ver Padre Carlos Bresciani, A primeira evangelização das aldeias ao redor de Salvador, Bahia, 1549- 1569. Salvador, Secretaria Municipal de Educação, Fundação Gregório de Mattos, 2000, pp.20-21.
32 Sampaio, 50 anos, p. 122.

núcleo mais urbano, centrado hoje no assim chamado corredor da Vitória, onde se concentravam as casas das famílias mais ricas da época, também descritas pelo engenheiro alemão, Julius Naeher, em 1879:

> *As gameleiras imponentes ao redor da praça [Campo Grande] chamam atenção do estrangeiro pelas suas galhas curiosas. Desta praça parte, no lado oposto do hotel, um bonde a vapor para a Bomfim. Já o bonde de tração animal, vindo do centro, segue na lateral da praça e entra na rua da Vitória, onde moram os comerciantes mais ricos da cidade. No final da elevação o bonde é puxado para baixo até a Barra de Santo Antônio, através de um mecanismo de plano inclinado, e segue ainda cerca de dois quilômetros até o farol de Santo Antônio.[33]*

Entretanto, as demais áreas da freguesia da Vitória apresentavam baixa densidade populacional, comparável à da freguesia de Brotas. Portanto, convém enxergar a área dos dois lados do rio Lucaia em conjunto, independentemente de seu pertencimento às freguesias distintas, uma vez que se pareciam mais com a de Brotas do que com a parte urbana da Vitória[34]. Assim, estas e outras regiões, localizadas ainda mais distantes do centro, apenas por volta de 1860 entram no já mencionado mapa, em geral, indicando a existência de poucas construções ou vias de acesso.

---

33 Naeher Land und Leute, p. 80.
34 Luis Parès, A formação do candomblé, p. 172, cita também alguns documentos que até o final do séc. XIX fazem confusão entre os limites territoriais das duas freguesias, considerando parte de uma como pertencentes a outra, o que certamente ressalta as relações densas entre os dois lados da Estrada Dois de Julho que existiam e existem até hoje na região da Vasco da Gama.

OS CÂNTICOS QUE ENCANTARAM *Pierre Verger*

O relativo afastamento da região se manteve por um bom tempo, mesmo com a construção da Estrada Dois de Julho, que virou uma via de passagem de importância crescente, além de contar com o serviço do bonde nº 15, Rio Vermelho de Baixo. Efetivamente, só houve uma duplicação da pista da antiga Estrada Dois de Julho depois que virou Avenida Vasco da Gama, já bem depois da morte de Antônio Oxumarê, em 1926.

Traçado do bonde na Vasco da Gama, por volta de 1940

Casa de Oxumarê

Somente nos anos 70 do século XX seria construída a pista no sentido Rio Vermelho/Dique, no lado oposto do terreno, do outro lado do rio. A duplicação causou várias desapropriações e mudou o cenário de um bairro tranquilo com características rurais, conforme relatos dos moradores mais antigos citados nos próximos capítulos. Após a construção da pista, seguiu-se uma última modificação nos anos 90, quando foram construídas as pistas exclusivas para novos veículos "sanfonados". A nova construção cobriu definitivamente o rio Lucaia que demarcava a divisa entre as antigas freguesias. Contudo, os novos veículos nunca chegaram, mas as interferências na região, causadas pelas construções das novas pistas e várias passarelas, foram profundas e são perceptíveis até hoje.

Casas na Vasco da Gama, por volta de 1950

A Casa de Oxumarê na Memória das Pessoas

por Silvanilton Encarnação da Mata (Babá Pecê)

A memória da Casa de Oxumarê é construída por lembranças de fatos relatados pelos nossos mais velhos e por documentos escritos. A pesquisa e harmonização dos dados fornecidos por estas fontes revelam a história de luta e resistência que envolveu e envolve os destinos desta Casa multissecular, cuja diversidade contempla vários olhares.

Participar da vida de um terreiro significa vivenciar a experiência da diversidade, da partilha e do encontro por meio do culto aos Orixás. Neste espaço religioso, a oralidade é a principal responsável por contar as histórias e transmitir para as novas gerações o conhecimento, o que possibilita experimentar sensações desconhecidas. A oralidade possui algo especial e valioso, é um grande poder, é uma maneira ancestral de transmitir conhecimento. Através dela é possível resgatar e reconstruir a história de espaços religiosos e culturais, como o são os terreiros de candomblé. Trata-se de um universo muito mais denso e repleto de fé que jamais poderá ser traduzido simplesmente em escrita, mas que nos permite compreender a trajetória da história de resistência e fé compartilhada no espaço do terreiro, neste caso, o Ìlé Òṣùmàrè Araka Àse Ògòdò - Casa de Oxumarê.

Casa de Oxumarê

A MEMÓRIA COLETIVA E ORAL DA CASA DE OXUMARÊ

A memória coletiva da comunidade da Casa de Oxumarê, em especial a das suas agbás, há mais de um século se mantém viva e é transmitida de geração a geração por meio da oralidade. A memória da Casa destaca a história que se inicia por Babá Talabi de Ajunsun, Babá Salakó de Xangô, Babá Antônio de Oxumarê, Ìyá Cotinha de Iyewá e seus ogãs Urbano, Claudionor (Cadu), Paizinho e Januário; de Pai Bobó de Iansã; de Egbon Marieta de Nanã; de Tomázia de Oxum; de Mãe Bida de Iemanjá; de Mãe Rosinha de Xangô; de Ìyá Simplícia de Ogum; e de Ìyá Nilzete de Iemanjá; enfim, de grandes personalidades que, pela oralidade, mantiveram viva a história na memória de nossas agbás: Mãe Filhinha de Ogum; Gamo de Xangô; Mãe Cotinha de Oxalá, Mãe Edelzuita de Omolu, Mãe Ana de Ogum, Mãe Beth de Oxalá, Mãe Walquíria de Oxum; Mãe Ana Laura de Ogum, Pai Pérsio de Xangô, Mãe Tania de Oxóssi e Mãe Sandra de Iemanjá, apenas para destacar algumas, já que nos é impossível enumerar todas as pessoas que, de alguma forma, guardam fragmentos de uma história que se mantém íntegra e resistente até os nossos dias, com Babá Pecê de Oxumarê.

A memória coletiva e oral da Casa de Oxumarê remete à sua fundação no início do século XIX por Babá Talabi de Ajunsun, participante do culto realizado em Cachoeira, no Calundu do Obitedó, termo iorubá que, em português, significa fundação (*tédê*) da família (*obi*).

No início do século XIX, Manoel Joaquim Ricardo, Babá Talabi de Ajunsun, transfere para Salvador o culto familiar praticado no Obitedó. Instala o terreiro no Bairro Cruz do Cosme, atual Pau Miúdo, onde inicia Salakó no culto aos Orixás. Contam os mais velhos que ele era comerciante de grãos, fumo, azeite, carne, obis e outros produtos africanos utilizados no culto aos Orixás.

OS CÂNTICOS QUE ENCANTARAM *Pierre Verger*

Lá em Cachoeira, no Obitedó, foi onde começou a história da Casa de Oxumarê. Eu convivi com os mais velhos e sempre ouvi falar nisso...

Pai Pérsio de Xangô

O patrono da Casa é Oxumarê, mas a história começa com o pai de santo de Omolu, que era Babá Talabi de Ajunsun.

Mãe Edelzuita de Omolu

Mais tarde, o terreiro é transferido de local. Sai da Cruz do Cosme para a Rua da Lama, 1º Distrito da Vitória. Ìyá Cotinha de Oxalá conta que conheceu o local onde o terreiro ficou instalado na Rua da Lama.

Casa de Oxumarê

Frequento esta casa desde criança. Ia fazer meu santo com Mãe Cotinha de Iyewá, mas minha mãe de sangue achava que eu era muito nova, mais tarde me iniciei com Mãe Simplícia. Me lembro do dia em que passamos no Rua da Lama e ela me mostrou onde ficava a Casa e contou que lá tocava nas palmas com taco de madeira.

Mãe Cotinha de Oxalá

Vale destacar que o nome civil de Talabi tem sido motivo de discussões desde a geração de Ìyá Simplícia de Ogum. Para uns, ele era conhecido como Manoel Talabi; para outros, Ricardo Talabi. Seu Urbano e Mãe Rosinha afirmavam que Manoel e Ricardo eram a mesma pessoa, e o depoimento de Mãe Ana de Ogum esclarece a dúvida:

Eu sempre ouvi que Manoel e Ricardo eram a mesma pessoa. [...] Talabi tinha três nomes de gente: Manoel alguma coisa... Ricardo.

Mãe Ana do Ogum

OS CÂNTICOS QUE ENCANTARAM *Pierre Verger*

As nossas agbás afirmam que a Casa deu continuidade ao ciclo patriarcal. Salakó de Xangô, conhecido como Antônio das Cobras, relativamente jovem, sucedeu a Talabi, fugindo assim das regras hierárquicas de sucessão da Casa. Este fato nos é esclarecido por Mãe Rosinha que, partindo da tradução dos nomes Talabi, *aquele que nasce da pureza*, e Salakó, *aquele que fica na pureza*, sustenta que o mais novo havia sido preparado para assumir o cargo quando Talabi ainda estava vivo, razão pela qual se afirma a existência de um destino ligando pai e filho.

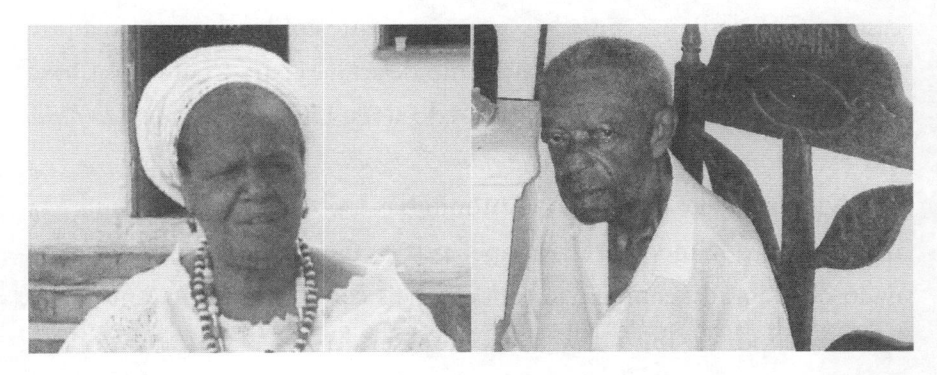

Salakó de Xangô, Damázio de Ibeji e Salami de Oxalá além de assumirem a Casa de Oxumarê na Rua da Lama, também faziam candomblé no Gunoco, onde hoje está localizada a Avenida Bonocô. Tenho essas histórias guardadas no meu caderno de ìyàwó, que eu tenho desde que fiz santo, em 1961.

Mãe Bete de Oxalá

Vim morar na Casa de Oxumarê com dez anos de idade. Me criei e sempre ouvi falar que Salami de Oxalá, Salakó de Xangô e Damázio de Ibeji foram pais de santo da Casa e filhos de santo de Talabi.

Pai Cidinho

Angela Lühning e Silvanilton Encarnação da Mata

Casa de Oxumarê

Os relatos de nossas agbás dão conta que Salakó de Xangô recebeu o nome Antônio das Cobras em virtude de haver expandido o culto, a princípio apenas familiar, à grande cobra mítica dos fons, conhecida como Dan [cobra] e a família Dahomé [filhos da barriga da cobra]. Os mais velhos contam que Salakó de Xangô assumiu a Casa da Rua da Lama com o apoio de Salami de Oxalá e Damázio de Ibeji.

Lembram ainda, nossas agbás, que seu Hilário, marido de Ìyá Simplícia, relatava que, além do candomblé praticado no Gunocô, havia uma casa na Cidade Baixa, situada estrategicamente em local próximo ao frequentado pela burguesia, com o intuito de atraí-la para o culto aos Orixás realizado na Rua da Lama. Ou, como dizia seu Urbano: "*na Rua da Lama que era a Casa principal, e lá chamava Zoogodô*".

Babá Salakó de Xangô (Antônio das Cobras) inicia Antônio Manoel Bonfim quando ele tinha apenas sete anos de idade. Ele foi apelidado de Cobra Encantada, porém era mais conhecido como Antônio de Oxumarê, por ser filho deste Orixá. Apesar da pouca idade, Antônio de Oxumarê ficava à frente do comércio e do culto religioso nas longas ausências de Salakó de Xangô quando das suas viagens para o continente africano e para a cidade de Cachoeira, no Recôncavo baiano, com fins comerciais e religiosos, como ressalta Mãe Walquíria de Oxum ao narrar uma conversa entre ela e Mãe Filhinha de Ogum, na qual são citados dois personagens de destaque da história atual da Casa de Oxumarê: Babá Pecê, o atual babalorixá, e o ogã Luís Augusto, conhecido como Pai Tinho de Odé, que nos remete ao passado da Casa de Oxumarê.

Devido às suas atribuições à frente da Casa e do comércio, Antônio de Oxumarê recebe também o apelido de Antônio das Cobras, razão pela qual a memória, durante cerca de um século, se refere indistintamente a "Antônio das Cobras", ora para Salakó, ora para seu filho, Antônio de Oxumarê.

OS CÂNTICOS QUE ENCANTARAM *Pierre Verger*

Certa vez cheguei na Roça e perguntei à minha Tia Filhinha: "Minha Tia, cadê Babá Pecê?" e ela respondeu: "hmm, Salakó viajou, quem taí é Antônio de Oxumarê". Aí eu perguntei: "Porque Salakó?" e ela respondeu: "hmm, Salakó vivia viajando e era Antônio de Oxumarê quem tomava conta da Casa". Perguntei: "e quem é Antônio de Oxumarê?". Ela respondeu: "é Tinho!!! Pecê tá que nem Salakó, só vive viajando..." e caímos na gargalhada.

Mãe Walkiria de Oxum

Após o falecimento de seu sacerdote, Babá Salakó de Xangô, em 14 de janeiro de 1904[35], e ao assumir a Casa, Antônio de Oxumarê passa a ser vítima de intensas perseguições policiais devido a prática dos cultos religiosos, isto porque, de acordo com a oralidade, não tinha a mesma influência e poder econômico de Salakó, não bastasse a sua pouca idade. Para tentar livrar-se das perseguições, transfere o axé da Rua da Lama, para o então longínquo bairro da Mata Escura, atual Federação, onde primeiro se estabelece na Rua da Jaqueira, que já era conhecida pela exuberante copa da árvore ali existente, e adquire mais notoriedade pelos cultos por ele praticados. Contudo, como recordam as agbás, a mudança não diminuiu as perseguições. Apesar dos obstáculos enfrentados para o exercício do seu culto, Antônio de Oxumarê estrutura o axé construindo duas Casas: uma para Ajunsun e outra dedicada a Xangô.

---

35 Livro de registro de óbito, Matrícula 134387 01 55 1904400010 123 0000381 12, Sede do Cartório de Registro Civil de Pessoas Naturais de Cachoeira - Bahia

Casa de Oxumarê

Mais tarde, Antônio de Oxumarê recebe apoio de Sinhá Bada de Oxalá e de "Cobra Encantada", e apesar das perseguições e sofrimentos aos quais foi submetido, resistiu e adquiriu notoriedade e reconhecimento pelo povo de santo.

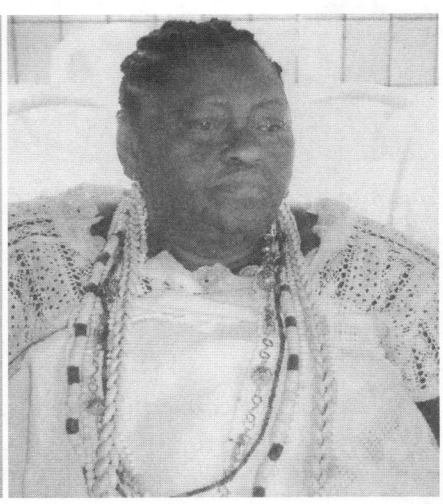

Fui do primeiro barco de Mãe Simplícia. Fiz santo em abril de 1955 e sempre ouvi minha Mãe de santo falar que antes de seu Antônio de Oxumarê, o pai de santo era Salakó e o axé da Casa é de Xangô. Kaô, kabiessilê!

Estefânia - Gamo de Xangô

Me iniciei aos sete anos de idade no mês de outubro de 1937 e desde menina, por volta dos meus dez anos, ouvia falar sempre com muito respeito pelas egbomis e agbás: "um homem feito de santo!!! E não era chamado como um qualquer!... e ainda tem na frente... 'candomblé de Antônio diii... Oxumarê', tinha do "di" na frente...

Mãe Cidália de Irôco

Não se sabe ao certo quantas pessoas foram iniciadas por Antônio de Oxumarê, mas dentre elas se destaca Mãe Cotinha de Iyewá - Maria das Mercês, *Iyewá Abiyamo*, - que, após a morte do babalorixá, em 16 de junho de 1926[36], assumiu a Casa, dando início a um período de gestão matriarcal. Ela foi a primeira mulher a assumir o mais alto posto na Casa de Oxumarê. Não há relatos de iniciação para a Orixá Iyewá antes de Mãe Cotinha, razão pela qual adquire respeito e notoriedade.

Ìyá Cotinha de Iyewá administrou a casa com o apoio de Jacinto Manuel Gomes, conhecido como seu Jacinto, Ogã do terreiro da Casa Branca e pai dos ogãs Paizinho e Januário, dois importantes alabês da Casa de Oxumarê. Ela iniciou um grande número de pessoas, como Ìyá Simplícia de Ogum; Obaladê, filha carnal de seu Jacinto; Theodora de Iemanjá; Tomazinha de Oxum; Nair de Oxalá; Maria de Oxóssi; Minervina de Oyá; Mãe Francelina de Ogum e Mãe Margarida de Ogum; Mãe Miudinha de Oxum e Pai Bobo de Oyá, um belo rosário de personagens que contribuíram para a preservação e difusão do axé.

Antes mesmo do falecimento de Ìyá Cotinha, em 21 de junho 1948[37], Iyewá determina que a Casa seja conduzida por uma filha de Ogum, e a escolhida é Mãe Francelina. Em virtude de sua idade avançada, Mãe Francelina renuncia ao cargo e recorre aos Orixás que, no jogo de búzios, indicam Simplícia de Ogum como a nova iyalorixá da Casa, prevalecendo, assim, a determinação de Iyewá.

---

36 Livro de registro de óbito, Matrícula 007195 01 55 1926 4 0034 217 0000393 10, Arquivo do Cartório de Registro Civil de Pessoas Naturais, subdistrito da Vitória, Salvador.
37 Livro de registro de óbitos, Matrícula 007195 01 55 1948 4 00053 191 0004799 41, Arquivo do Cartório de Registro Civil de Pessoas Naturais, subdistrito da Vitória, Salvador-Bahia.

Casa de Oxumarê

Em 1953, Ìyá Simplícia de Ogum assume como uma verdadeira guerreira, se entregando por completo à causa dos Orixás, lutando para manter vivos os cultos religiosos e abandonando uma vida de conforto e estabilidade. Comerciante respeitada e com um patrimônio considerável para a época, ela se entrega de forma inteira ao culto e a Casa de Oxumarê, perpetuando o legado de seus ancestrais e lançando as sementes do que hoje representa a Casa de Oxumarê para o Brasil e o mundo.

Mãe Simplícia na recepção com Getúlio Vargas, início dos anos 1950

OS CÂNTICOS QUE ENCANTARAM *Pierre Verger*

Filha de santo na recepção da comitiva em Poços de Caldas

Assim que assume a casa, em meados da década de 1950, Ìyá Simplícia é convidada para organizar uma recepção para o então presidente Getúlio Vargas[38] na cidade de Caldas de Cipó, sertão da Bahia. Durante o encontro, Ìyá Simplícia conversou com o Presidente sobre o preconceito e a intolerância em relação aos cultos aos Orixás, oportunidade em que pediu o reconhecimento do candomblé como religião e a liberação dos cultos, fato que contribuiu para a conquista do direito à liberdade de culto no Brasil, uma vitória à qual também contribuíram Mãe Aninha do Ilê Axé Opô Afonjá, entre outras iyalorixás.

---

38 A reação de Ìyá Simplícia de Ogum com Getúlio Vargas.

Casa de Oxumarê

Para gerir a casa, Ìyá Simplícia contou com o apoio de Hilário Bispo dos Santos, seu companheiro, que muito contribuiu para a preservação da Casa de Oxumarê e suas tradições. O relacionamento deles era mais profundo que a questão religiosa. Depois de ambos terem tido casamentos anteriores, passaram a viver juntos e tiveram quatro filhos: Milton, Erenilton, Tania e Jutahy. Ìyá Nilzete era filha do primeiro casamento de Ìyá Simplícia. Seu Hilário já tinha seis outros filhos.

Ìyá Simplícia de Ogum é, na memória do povo de candomblé, sinônimo de respeito por sua conduta pessoal e religiosa. A sua postura lhe permitiu um excelente relacionamento com todas as casas de candomblé, em especial com Mãe Menininha do Gantois, com quem mantinha fortes laços de amizade e carinho, como recordam os mais antigos. Em razão desta amizade, Ìyá Simplícia pede conselhos à Mãe Menininha sobre a iniciação da sua filha Nilzete Australciana da Encarnação e do seu neto Silvanilton Encarnação da Mata. Mãe Menininha expressa toda sua vontade de cuidar dos dois, mas devido aos seus problemas de saúde e dificuldade de deslocamento, orienta Babá Manoel de Ogum - Nezinho de Muritiba - para fazer a obrigação dos dois, que no futuro seriam sacerdotes da Casa de Oxumarê.

> *Minha mãe Simplícia foi tudo para mim. Devo tudo que sou a ela. Ela era muito querida e respeitada na Bahia, muito amiga de Mãe Menininha. Minha mãe de santo e mãe Menininha faziam caixas juntas. O marido de mãe Simplícia, Seu Hilário, era mestre de obras e muitas vezes atendeu aos pedidos de minha mãe ajudando nas reformas e construções do Terreiro do Gantois. Ah, era uma amizade muito bonita! Ela era muito batalhadora: arrebatava fato no matadouro do Retiro e vendia no Forte de São Pedro.*

OS CÂNTICOS QUE ENCANTARAM *Pierre Verger*

O carisma dela era único, não tinha para ninguém. Esse carisma também vinha de Ogum, não tinha quem não se apaixonasse por ele. No dia em que Pecê nasceu era festa de Oxumarê e meu pai Ogum tomou ele nos braços e disse a todos que ele seria o futuro babalorixá da Casa. Um ano depois, veio Pai Manoel, a mando de Mãe Menininha, fazer o santo da filha dela, Nilzete, e de Pecê. Foi um barco muito bonito.

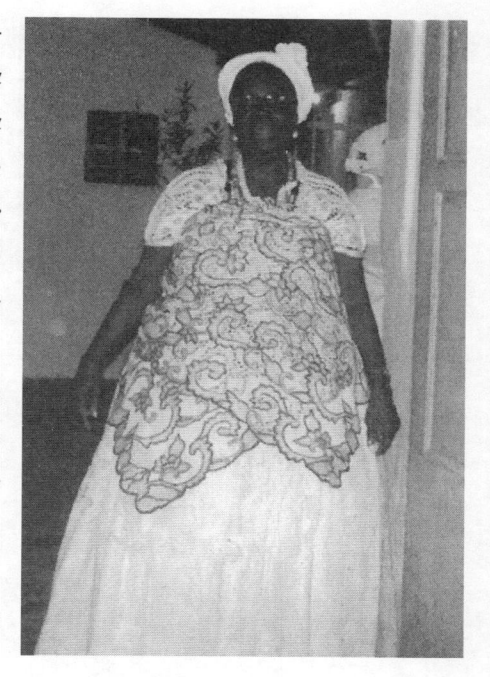

Mãe Nilza de Ogum

Contam os antigos e nossas agbás que Babá Pecê nasceu no dia da festa de Oxumarê, em 30 de agosto de 1964[39], e na presença de Ogum, que o apresentou a todos como futuro sucessor da Casa. No esplendor de sua vida espiritual Ìyá Simplícia faleceu, em 18 de setembro de 1967[40]. Uma perda inestimável de uma das maiores iyalorixás do Brasil. O seu lugar, devido à tenra idade de seu neto, Babá Pecê, é assumido por sua filha, Ìyá Nilzete, que carregou no sangue a garra e a vitalidade da mãe.

---

39 Livro de Registro de Nascimento, Livro A 176, fl 117 Verso, termo 90173, subdistrito da Vitória, Salvador, Bahia.
40 Livro de Registros de óbitos, Livro 47, fl 34v, nº 20820, subdistrito da Sé, Salvador, Bahia.

Casa de Oxumarê

Nilzete é minha comadre. Eu fui madrinha da primeira filha da Samuilta e ao mesmo tempo ela foi minha madrinha de santo. Ela lutou muito por esta casa! Lutou muito pra criar seus três filhos. Só Irôco mesmo para lembrar o quanto ela lutou, porque ela todo dia descia e se desabafava com ele!

Elza de Oxóssi

A RESISTÊNCIA, A BUSCA DA HISTÓRIA E AS ORIGENS DA CASA DE OXUMARÊ

Até a década de 80 do século XX a Casa tinha como principais preocupações resistir à perseguição religiosa, garantir a preservação do culto e o sustento de seus adeptos, razão pela qual não realizou pesquisas em fontes documentais para registrar fatos de sua história.

Em 1988, se iniciam as buscas por documentos relativos à história da Casa em virtude da luta contra a construção de uma passarela na avenida Vasco da Gama que, no projeto original, invadia o terreno onde está localizado o Terreiro e seus principais símbolos religiosos e sagrados, como sua fonte de água, elemento essencial para o culto aos Orixás, e a árvore dedicada a Irôco, que através de suas raízes mantém um elo mítico com a mãe África.

OS CÂNTICOS QUE ENCANTARAM *Pierre Verger*

Ìyá Nilzete era minha dofona [...] Era uma guerreira [.,.] Ah! Irôco era a melhor amiga dela [...] Todo dia ela ia conversar com ele [...] Ela lutou como o mar revolto para proteger a árvore Irôco.

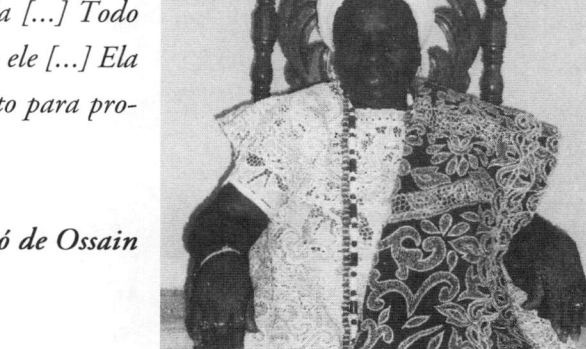

Tia Dó de Ossain

Para buscar definir os limites territoriais, a história e objetivos de assistência social da Casa, foi constituído um grupo de trabalho denominado "Frente de Defesa do Terreiro", do qual fazia parte o antropólogo e historiador Vivaldo da Costa Lima, na época diretor do Instituto do Patrimônio Artístico e Cultural do Estado da Bahia (IPAC). Em reunião com representantes de diversos segmentos, ele apresentou documentos e depoimentos, por ele gravados e transcritos, relativos ao Terreiro de Oxumarê, dentre os quais se destaca o da iyalorixá Simplícia de Ogum sobre a fundação da Casa. Na ocasião, o antropólogo discorreu sobre o histórico e origem da Casa, e a importância dos seus fundadores Talabi e Salakó.

Graças ao prestígio da iyalorixá Nilzete de Iemanjá e de Vivaldo da Costa Lima, representantes de diversos segmentos sociais integraram a "Frente de Defesa do Terreiro", com destaque para lideranças políticas, intelectuais e religiosas, tais como: Ordep Serra; Caribé; Gilberto Gil; Pierre Verger; Beth Wagner; alapini Didi; Edvaldo Brito; iyalorixá Creuza Milet, do Gantois; Nicinha Evangelista, iyalorixá do Bogum; Antônio Agnelo Pereira, elemaxó da Casa Branca; Urbano Conceição, ogá

Casa de Oxumarê

da Casa de Oxumarê, dentre outros. O grupo era liderado por Ìyá Nilzete e coordenado por Ebogmi Sandra Bispo de Iemanjá e Mayé Tania de Oxóssi, irmã da iyalorixá da Casa. Naquela ocasião, a principal preocupação da Casa foi a sua regularização perante os órgãos públicos através da constituição de uma pessoa jurídica.

Prefeitura vai destruir um tradicional terreiro

O Terreiro de Oxumarê ameaçado pela Prefeitura

Caso a Prefeitura Municipal insista na idéia de construir uma passarela na Vasco da Gama (que ligará o Engenho Velho de Brotas a Federação) o Terreiro Oxumaré será destruído, morrendo um dos pontos mais antigos dos cultos afro-brasileiros. Nem mesmo a comunidade do terreiro sabe informar, com precisão, a data da construção no local, mas não deve estar inferior a 200 anos. Outros moradores próximos ao local também já receberam aviso da Construtora Odebrecht, informando que terão seus terrenos desapropriados. Todos estão mobilizados a não cumprir a determinação do prefeito Mário Kertész.

Atualmente, o Terreiro de Oxumaré é dirigido por Mãe Nilzete Encarnação Austriquiano, 51 anos - sendo 22 dedicados ao candomblé, com cerca de 38 filhas de religião. Sua irmã, Ana de Ogum, 44 anos, conta que Nilzete, após receber o comunicado, tem estado bastante tensa, mas, mesmo assim, já procurou representantes do Governo Municipal, como o atual presidente da Fundação Gregório de Mattos Gilberto Gil e o próprio prefeito Mário Kertész. "Caso não resolvam, ela já prometeu ir a Brasília conversar com o presidente José Sarney, para evitar que o terreiro seja colocado abaixo".

Ana de Ogum explica que não possui documentos que informam a data em que foi erguido o terreiro. "Mas, com certeza, aqui existem mais de 200 anos de tradição da cultura negra e, no ano em que falam na comemoração dos 100 anos da Abolição a comunidade baiana não pode deixar que essa obra seja destruída". Ela também lembra que entrou para o Terreiro Oxumare quando tinha nove anos e que, por volta de 1960, conheceu a yaô (filha de santo) Maria Francelina de Jesus. "Ela faleceu pouco tempo depois, com 105 anos, e contavam que ela também havia feito a cabeça ainda criança".

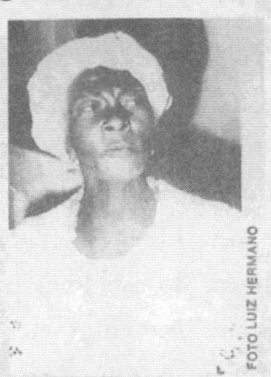

AVARICO — Entre as obras da natureza, cultuados no Terreiro, Ana de Ogum aponta, em frente ao Oxumaré uma árvore avaricó. "Ela é a segurança da casa. E o nosso alicerce. Também, temos uma fonte natural, onde, na primeira sexta-feira de todos os anos fazemos nossas obrigações a Oxum". Ana de Ogum mostrou também, um atabaque que, quando precisou de conserto, a comunidade ficou sabendo que os novos instrumentos não são mais montados com aquela madeira. "Pois não existe mais, há cerca de 150 anos", diz com orgulho.

Abaixo do Terreiro Oxumaré (ele fica no alto da Vasco da Gama, ao lado da Federação) estão localizados pequenas lojas de comercio de peças de carros, ferro-velho e lanchonetes. Todos os proprietarios já atenderam ao primeiro chamado da Construtora Odebrecht. De acordo com Jair Rodrigue, 23 anos, que trabalha no Okê Bar (Vasco da Gama, 345-A) o proprietário do local Roberto Marinho, 56 anos, recebeu um aviso, no dia cinco de março para que comparecesse ao escritorio da empresa, no dia sete. Na ocasião, explica Jair houve uma tentativa de negociação amigável, visando o pagamento da desapropriação daqui da área, que todos nós nos negamos a aceitá-la, terminantemente". Como a mesma atitude vem sendo tomada por todos os moradores da região, a Construtora Faec, que já havia colocado um bate-estaca do outro lado da avenida Vasco da Gama e homens a trabalhar, suspendeu as obras até que o impasse seja superado.

FOTO LUIZ HERMANO

Foto do jornal Tribuna da Bahia, 14 de março de 1988

Com este fim, foi elaborado, em caráter de urgência, um laudo com base no que se dispunha na época: os documentos apresentados por

Vivaldo da Costa Lima que faziam referência aos nomes de Salakó de Xangô e Talabi de Ajunsun como fundadores da Casa de Oxumarê. O documento então elaborado e intitulado *"Resumo Histórico do Terreiro"* teve o específico, único e exclusivo propósito de instruir o acervo documental exigido pelo governo para reconhecer a titularidade da propriedade, notadamente quanto às suas dimensões e fronteiras e a natureza de utilidade pública das ações nele desenvolvidas em prol da comunidade.

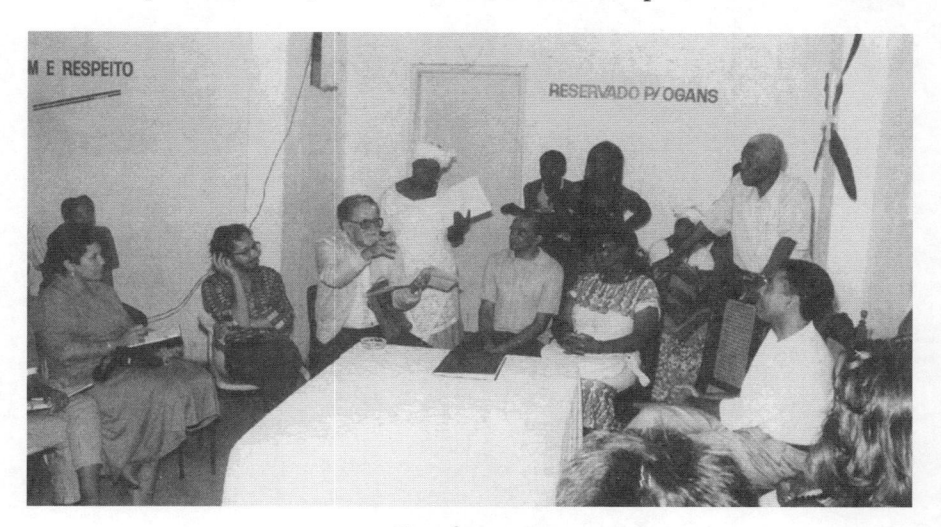

Foto da reunião

Os esforços empreendidos pela Frente foram exitosos: o local de implantação da passarela foi alterado, foi atribuída personalidade jurídica à Casa, com registro do seu primeiro estatuto em 10 de setembro de 1988, e houve o reconhecimento pelos órgãos públicos como instituição de utilidade pública.

Depois destas conquistas, por falta de recursos e como consequência da morte prematura de Ìyá Nilzete, ocorrida em 1990[41], as pesquisas

---

41 Registros de óbitos, Livro 65C, fl 421, nº 4403, subdistrito da Sé, Salvador, Bahia.

sobre a origem e a história da Casa foram interrompidas, e retomadas somente um 1996 por Babá Pecê, através do ogã de Oxóssi e Ofarerê da Casa que, desde 1988, e por designação da iyalorixá, buscava resgatar e registrar a memória coletiva e oral da Casa de Oxumarê ouvindo as pessoas mais antigas.

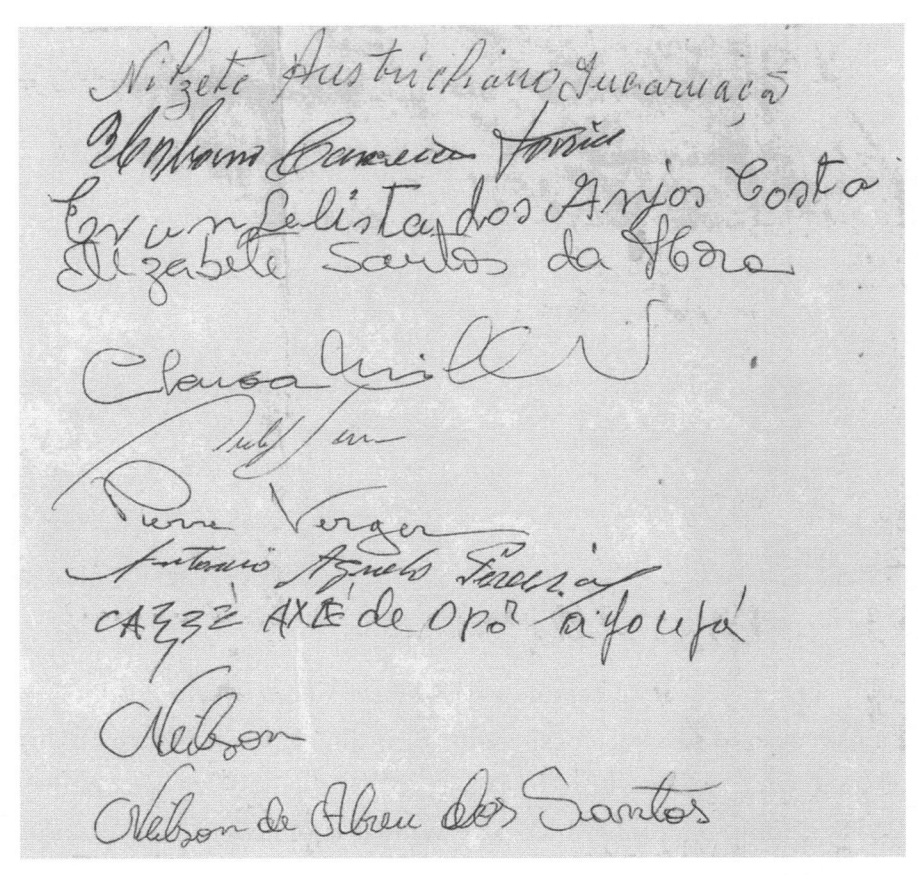

Foto das assinaturas da frente de defesa

Em 1988, Natalice Costa, filha de sangue de Ambrósio Bispo da Conceição, apelidado de Boboza, ogã do Zoogodô Bogum Malê Seja Hundê, por vontade de seu Orixá, deveria somente ser iniciada na Casa de Oxumarê. Diante desta determinação, Natalice se dirige à cidade de Cachoeira para pedir autorização ao seu pai, que permite a iniciação sob o argumento de que se tratava de Casas irmás.

Lutamos protegidas pela força dos Orixás, dos amigos e da comunidade de quem sempre tivemos o carinho, o Ilê Oxumarê sempre foi uma casa acolhedora da comunidade.

Mayé Tania de Oxóssi e Egbomi Sandra de Iemanjá

Este fato leva o babalorixá Pecê de Oxumarê a designar, em 1999, Ofarerê para prosseguir suas pesquisas no Recôncavo baiano, oportunidade na qual são mantidos contatos com Ìyá Baratinha, que lhe apresenta mais histórias sobre os irmãos Belchior: José Maria de Belchior - Zé de Brechó -, e Antônio Maria de Belchior - Salakó -, algumas com elementos míticos, como aquela em que os irmãos tinham o poder de se transmutarem em aves e viajar para o continente africano.

Além disso, visitaram o cemitério dos nagôs, oportunidade em que Ìyá Baratinha fez relatos sobre as brigas constantes entre os irmãos, descrevendo uma passagem histórica sobre a reforma da Igreja do Rosarinho, que apenas foi concluída depois que ela e suas filhas realizaram uma homenagem fúnebre para acalmar os espíritos de Salakó de Xangô e Zé do Brechó. Ainda no cemitério, ao apresentar os túmulos, fez questão de afirmar: "*ali está enterrado Antônio Maria de Belchior, Salakó, Antônio das Cobras*".

À esquerda, Ofarerê registrando os depoimentos.

Na mesma ocasião são mantidos contatos com D. Análoa da Paz Leite, conhecida como Análoa de Oyá, que apresenta Ofarerê à Irmandade da Boa Morte, através da qual conhece Luís Claudio Nascimento, Cacau, historiador e pesquisador da família Belchior.

Quanto a Talabi, a pesquisa limitou-se a constatar que, de acordo com a memória coletiva, ele promovia ou participava de um culto a Ajunsun no Obitedó.

OS CÂNTICOS QUE ENCANTARAM *Pierre Verger*

Este aspecto seria uma outra vertente da oralidade, agora concentrada não mais nos relatos específicos da comunidade - Terreiro de Oxumarê - mas aquela recorrente em Cachoeira.

Luís Claudio Nascimento, Cacau

Ainda em 1999, Babá Pecê recomenda que Mãe Cici de Oxalá seja procurada para falar sobre a história de Antônio das Cobras, pois esta tinha guardada em suas memórias "infinitas lembranças e histórias relatadas por seus ancestrais". Muito do seu conhecimento era fruto de sua relação com Pierre Verger. Mãe Cici confirmou os relatos correntes em Salvador sobre Antônio das Cobras.

No culto aos Orixás não existe desperdício. Tudo tem a sua importância, não existe o fim, mas, sim, o início de um novo ciclo, aberto a partir dos cânticos que encantaram e sensibilizaram Pierre Fatumbi Verger e motivaram a busca de fontes de confirmação da memória oral coletiva da Casa sobre sua origem e história. Ogum, Senhor dos Caminhos, conduziu os pesquisadores da Casa de Oxumarê e da Fundação Pierre Verger no Arquivo Público do Estado da Bahia e no Regional do município de Cachoeira, na busca de documentos que comprovassem a memória coletiva e oral sedimentada ao longo dos tempos, de geração a geração, sobre a história de fundação do Terreiro, e de seus principais personagens. Assim, conduzidos pela força mágica dos ancestrais, encontros não planejados concorreram para a elucidação de uma história guardada e para o preenchimento de uma lacuna: "eram três nomes de gente: Manoel, *alguma coisa*, Ricardo", como diz Ana de Ogum. Agora sabemos que o nome era Manoel Joaquim Ricardo, Talabi de Ajunsun.

A Casa de Oxumarê em fontes escritas

A Casa de Oxumarê não tem a pretensão de realizar, no momento, uma pesquisa de natureza acadêmica sobre suas origens. O que se pretende é demonstrar, através de elementos documentais, aquilo que é relatado pela memória coletiva da Casa. Para este fim, foram realizadas pesquisas, em especial em livros de registros públicos, em documentos dos Arquivos Público do Estado da Bahia e Regional do município de Cachoeira, jornais e periódicos da época. Durante as pesquisas, foi localizado o inventário de Manoel Joaquim Ricardo, Talabi. Com os documentos foi possível atestar as suas propriedades e toda a história do início da Casa de Oxumarê. A descrição de uma roça, no bairro da Cruz do Cosme, faz referência às características de uma casa de candomblé.

> *...uma casa de morada feita de adobo coberta de telha, com sala, três quartos, cozinha, circulada de varanda, com quarenta e seis palmos de frente, e trinta e seis de fundo, tendo mais ao lado da casa, uma grande senzala coberta de telha e dividida para cômodo dos escravos, tendo na frente da roça duas casinhas arruinadas...*[42]

---

42 Inventário de Manoel Joaquim Ricardo. Cadastrado no Arquivo Público da Bahia sob nº 07/2957/03. Doravante APEBa.

Considerando a descrição, podemos associar com as divisões utilizadas pelas casas de axé. Uma sala grande, que seria o barracão, a cozinha circulada de varanda, o barracão de Omolu, uma grande senzala coberta de telha e dividida para cômodo dos escravos, os pegis dos Orixás, e as duas casinhas arruinadas são as casas de Exu. Características essas, que se repetem atualmente na Casa de Oxumarê.

Manoel Joaquim Ricardo, africano e, conforme seu testamento[43], escravo de Manoel José Ricardo, mantinha casa de comércio no Mercado de Santa Bárbara, Salvador (Bahia) desde janeiro de 1830[44]; viveu e praticava seu culto religioso no bairro Cruz do Cosme, atual Pau Miúdo[45], onde veio a falecer em 20 de junho de 1865; teve, com Rosa Maria Conceição, quatro filhos: Benta, Martinho, Olavo e Damázio Joaquim Ricardo[46], este último foi o sucessor de Talabi junto com Salakó. Talabi foi o primeiro testamenteiro de Belchior Rodrigues de Moura, natural da Costa da África, de quem era credor, tendo sido também nomeado tutor, por testamento, dos cinco filhos do falecido com Maria da Motta, a quem também recomendou a educação destes. Estes filhos eram: José Maria Belchior, 19 anos e oito meses; Antônio Maria Belchior, 16 anos; Maria Aniseta Belchior, 13 anos; Magdalena, quatro anos; e Juliana de dois[47].

Antônio Maria Belchior era filho do africano Belchior Rodrigues Moura, comprovadamente envolvido com o culto aos Orixás[48]. Faleceu

---

43 Cadastrado no APEBa sob nº 04/1457/1926/18.
44 Autos da justificação de Escravo, APEBa, nº 51/1821/04, p. 430.
45 Carta do Subdelegado Pompílio Manoel do Carmo ao Chefe de Polícia, em 26.7.1862. Maço 6234. Ver também, João José Reis, Domingos Sodré, p.266.
46 Ver Testamento 04/1457/1926/18.
47 Testamento, em 14.8.1855, nos autos do Inventário 2/602/1056/10.
48 Ver ocorrência policial já referida.

em 14 de janeiro de 1904, sendo enterrado em Cachoeira, Bahia[49], onde é conhecido como Salakó pela comunidade local e por seus descendentes vivos.

Quanto a data de transferência do Culto a Ajunsun do Calundu do Obitedó, de Cachoeira, para Salvador, o confronto entre a memória transmitida oralmente pelos mais velhos e a fonte documental pesquisada fornece subsídios para afirmar que a fundação da Casa de Oxumarê remonta, pelo menos, ao ano de 1830.

Outra questão que também é evidenciada a partir da articulação dos dados fornecidos pela oralidade e dos documentos, diz respeito à afirmação das agbás de que Salakó de Xangô teria herdado a Casa com Damázio de Ibeji e Salami de Oxalá. A afirmação procede, pois Damázio era filho carnal de Manoel Joaquim Ricardo, a quem Belchior Rodrigues Moura recomendou a educação de seus filhos, inclusive Antônio Maria de Belchior, Salakó de Xangô, conforme já referido anteriormente.

Além dos documentos apresentados por Vivaldo da Costa Lima, que ligam Salakó de Xangô a Antônio Manoel Bonfim, o historiador João da Silva Campos afirma que eles se encontravam entre os mais famosos e temidos "feiticeiros" do século XIX. A leitura da obra de João da Silva Campos sugere que Salakó e Antônio de Oxumarê pertenciam à mesma geração. Neste sentido, é interessante observar que os pertencentes à primeira geração são chamados todos de "africanos", enquanto na geração seguinte os dois nomes que nos interessam, Salakó de Xangô e Antônio de Oxumarê, são indicados respectivamente como mulato e crioulo, o que evidencia que eles nasceram no Brasil.

---

49 Livro de registro de óbito, Registro 381, página 123, Arquivo do Cartório de Registro Civil, Fórum Teixeira de Freitas, Cachoeira - Bahia.

OS CÂNTICOS QUE ENCANTARAM *Pierre Verger*

> *Vou apresentar agora uma lista deficiente dos feiticeiros mais antigos da Bahia de 1835 para cá. Dos mais temidos: Arabonam, Turíbio, João Alabar, Tio Ojô, Bambuchê e Tio Lacerda, africanos. Salacó, mulato e Antônio Xumarê (Cobra Encantada), crioulos, A esta geração sucedeu-se outra menos famosa, talvez: Roberto Jepuledê, Rufino Aganga (do Congo), Américo Almidê, Manuel Temiu, e Longuinho de Degungo. São mais modernos ainda: Tio Rondão, que morava no começo deste século na rua do Asilo de São João de Deus.[50]*

Deve-se considerar ainda jornal da época que noticia o seguinte:

> **CANDOMBLÉ:** *Informam-nos pessoas residentes no Gantois, 1º districto da Victoria, e merecedoras de inteiro credito, que ha cerca de 9 dias, estrunje sem cessar na rua da Lama, um infernal candomblé, em que se tem notado, por vezes, alteração da ordem, não faltando na multidão de ociosos que tomam parte no aludido divertimento, que, dizem, ser chefiado por um indivíduo, sem profissão, de nome Antônio Chumaré. A auctoridade policial pedimos providencias em benefício dos moradores d'aquelle lugar.*
>
> *A Bahia, Segunda-feira, 18/04/1904*

---

50 João da Silva Campos, "Ligeiras notas sobre a vida íntima, costumes e religião dos africanos na Bahia". Anais do Arquivo Público da Bahia, n.9 XXIX, Bahia, Imprensa Oficial, 1946, p.305.

Casa de Oxumarê

Sobre a nossa local de ante-hontem com o título candomblé, sabemos que o sr. subcomissário do 1º districto da Victoria já expediu energicas providencias no sentido de se acabar de vez, com semelhante divertimento, attenttorio dos costumes de uma cidade civillisada e prejudicial ao socego publico. Tanto melhor.

A Bahia, Quarta-feira, 20/04/1904

CANDOMBLÉ: *Dissemos na nossa edição de hontem que o subcommissario do 1º districto da Victoria tinha mandado cessar um infernal "candomblé', que ha muitos dias funciona na rua da Lama e que incomodava durante a noite os moradores d'aquellas imediações. Pois bem: apezar dessa ordem o chefe de tal "candomblé" Antonio Manoel Bomfim, por alcunha "Chumari" continuou na noite de antehontem, hontem durante o dia, e até as 7 ½ horas da noite zombando assim as Ordens recebidas, dando logar a ser preso hontem mesmo ás 9 horas da noite, á disposição daquela auctoridade.*

A Bahia, Quinta-feira, 21/04/1904[51]

---

51 Agradeço, pela indicação desta fonte, a Jocélio Telles dos Santos. Deve ser ressaltado que, infelizmente, não foram achados documentos sobre os desdobramentos deste caso. Além da voz de prisão dada a Antônio Oxumarê, há outro caso parecido envolvendo Procópio de Ogunjá, em 1920, que entra com um pedido de habeas corpus. Ver Angela Lühning, "Acabe com este Santo, Pedrito vem aí. Mito e realidade da perseguição policial ao candomblé baiano entre 1920-1942", Revista USP, nº 28 (1995/96), p.208.

OS CÂNTICOS QUE ENCANTARAM *Pierre Verger*

A informação contida no jornal comprova a existência da Casa de Oxumarê, já em 1904, no 1º Distrito de Vitória, na Rua da Lama. Sendo mais precisos, podemos afirmar que as denúncias provenientes dos moradores do Gantois, de que uma casa tocava candomblé sem cessar durante nove dias do mês de abril daquele ano, coincide com o período de realização da cerimônia fúnebre denominada axexê[52] de três meses de Antônio Maria Belchior, Salakó, falecido em 14 de janeiro de 1904[53], pois, em uma época de intensas perseguições e proibição oficial, ninguém ousaria praticar candomblé por tantos dias seguidos, a não ser pela triste perda de seu líder espiritual. Os fatos noticiados pelos jornais evidenciam, portanto, que Antônio de Oxumarê não zombava das autoridades, mas cumpria seu dever religioso, tendo sido preso na tarde do dia do arremate, que ocorre no sétimo e último dia da cerimônia.

Por outro lado, a notícia comprova que Antônio de Oxumarê sofria intensas perseguições pela prática de sua religião, haja vista o exagerado teor da queixa, uma vez que o axexê iniciado no dia 14 de abril de 1904, no dia da denúncia em 18 de abril, contava apenas com três dias, e não com nove como se tentou fazer crer. O exagero da notícia deixa claro que Antônio de Oxumarê não gozava do mesmo prestígio nem da mesma influência de seu pai Salakó, sendo forçado a transferir as atividades do Terreiro da Rua da Lama para outro local onde pudesse praticar a sua fé e religiosidade, longe da intolerância e do preconceito. Escolheu a Mata Escura para se estabelecer e transferir o axé, onde se encontra até os dias de hoje.

---

52 Axexê: cerimônia fúnebre realizada em nove momentos: nos primeiros sete dias da data de falecimento do babalorixá, depois, e sucessivamente, após um mês, três meses, seis meses, um ano, três anos, sete anos, quatorze anos e vinte e um anos.
53 Livro de registro de óbito, Registro 381, página 123, Arquivo do Cartório de Registro Civil, Fórum Teixeira de Freitas, Cachoeira- Bahia.

Casa de Oxumarê

É possível supor que a instalação do terreiro na Mata Escura foi motivada pelos seguintes fatores: existência de água potável, lenha, plantas medicinais e litúrgicas, ventilação e visão privilegiada, que permitia avistar quem se aproximava durante o dia. Além da proximidade com outras casas de candomblé, como o Bogum e a Casa Branca, situadas nas mesmas imediações, e o seu relativo afastamento da cidade, que mesmo assim não impedia o deslocamento para quem não temia a natureza e estava acostumado a andar a pé e, mais tarde, de bonde.

Uma notícia faz referência ao candomblé de "Antônio", vulgo "Euxumaré", já em 1911 na Mata Escura, o que corrobora a afirmação de que a transferência da Casa foi realizada por Antônio de Oxumarê:

> *Em logares mais afastados da cidade como Matta Escura, Garcia e Areia Preta, Campo Santo, Matatu, Corta-Braço, realisam-se os candomblés dirigidos por individuos que a policia devia connhecer como Antonio, vulgo Euxumarê, Tio Júlio, Nicacio, vulgo Gombé, Colixão e tantos outros que se vangloriam da proteção que as autoridades lhes dispensam para a pratica de seus deboches religiosos, onde se realizam crimes contra a vida e a honra das pessoas ignorantes que diante do pegy (caverna do feiticeiro) vão atraz de consultas medicas, conselhos ou prophecias.*
>
> ***Diário de Notícias, 18/09/1911***[54]

Alguns anos mais tarde, outra notícia de jornal faz referência à localização da casa na Mata Escura, atual bairro da Federação; e sobre os procedimentos adotados pela polícia durante a batida na Casa.

---

54 Agradeço a disponibilização desta fonte à pesquisadora Meire Lúcia Alves dos Reis.

OS CÂNTICOS QUE ENCANTARAM *Pierre Verger*

> *O 1º delegado effectuou uma diligencia que resultou profícua. Tendo denuncia de que à Matta Escura, no Engenho Velho estava funccionando as escuras um candomblé do conhecido curandeiro, Osumarê, fez cerca-lo à noite, prendendo 15 pessoas, que foram transportadas para a estação de Ondina, e apprehendendo os apetrechos bellicos.*
>
> *A Tarde, 03/10/1922*

O primeiro delegado mencionado pelo jornal é o temido e lendário Pedrito, Pedro Azevedo Gordilho, muito atuante naquele período[55]. Inúmeras vezes ele liderou invasões às casas de culto, confiscou objetos rituais, destruiu pejis e prendeu participantes de cerimônias, como no caso da batida policial citada na notícia anterior. Apesar da concisão das informações, é possível imaginar o modo como os quinze supostos presos foram conduzidos no meio da noite à estação da Ondina: provavelmente seguiram a pé por um percurso de cerca de seis quilômetros.

A matéria aponta um desdobramento interessante do incidente: a apreensão de objetos de culto. Através de outras fontes nos jornais da mesma época, conhecemos o destino de muitas dessas peças rituais apresentadas: elas eram entregues à própria delegacia ou diretamente ao Instituto Geográfico Histórico de Salvador, onde foram criadas coleções destes objetos rituais, transformadas em meras curiosidades.

Entretanto, devido às visões preconceituosas vigentes em relação às tradições afro-brasileiras já apontadas, demorou muito tempo até o desenvolvimento de uma política de conservação da memória afro-brasileira. Por este motivo, os objetos do Instituto Geográfico foram

---

[55] Ele era tão temido que até foi criada uma cantiga que corria a Bahia na época de sua atuação como primeiro delegado. V. em Lühning, "Acabe com este Santo, Pedrito vem aí", pp. 195-196.

Casa de Oxumarê

documentados apenas nos anos oitenta, resultando em um catálogo[56]. Porém, na década seguinte, por descuido e falta de interesse das autoridades públicas, a maior parte das peças foi destruída ou jogada fora[57]. Um dos objetos fotografados para o Catálogo era uma espécie de coroa bem elaborada, feita inteiramente de búzios.

Ao mostrar a imagem desta coroa aos mais antigos e a Babá Pecê, atual Babalorixá da Casa de Oxumarê, estes declararam que poderia tratar-se da coroa de Bayani, apreendida em uma batida policial a época de Babá Antônio de Oxumarê, em 1922.

Coroa de Bannya, Adê

---

[56] Este catálogo foi realizado por Raul Lody, como parte de uma série de documentações de vários acervos etnográficos no Brasil, muitos deles ligados a institutos geográficos e históricos. Raul Lody, Um documento do candomblé na Cidade do Salvador. Salvador, Fundação Cultural do Estado da Bahia/Rio de Janeiro, Funarte,1985

[57] A visita ao acervo foi feita por Angela Lühning em companhia de um dos secretários do Instituto, amigo de Verger, que sabendo do seu interesse pela história se ofereceu a acompanhá-la. O que ele não sabia era a surpresa que iriam encontrar no local que deveria abrigar a coleção das peças do Museu, que há tempos estava "em reforma", como foi informado várias vezes durante as tentativas de visita ao acervo no início dos anos noventa: não se encontrou quase nada. Restava apenas a cadeira do babalorixá Jubiabá, além de outros poucos objetos, mas a maior parte do acervo, ainda fotografado nos anos oitenta, foi descartada como coisa sem valor durante a reforma do instituto.

Antônio de Oxumarê, cujo nome civil era Antônio Manoel Bonfim, era filho de Basília Juliana da Conceição. O inventário[58], localizado no Arquivo Público do Estado da Bahia, noticia que ele teria nascido em 1879, pois contava com um ano de idade na data do seu batismo na igreja de Nossa Senhora do Ó, em São Tomé de Paripe, região do Subúrbio Ferroviário de Salvador. Faleceu em 16 de junho de 1926, conforme seu registro de óbito. A *causa mortis* declarada foi impaludismo, hepatite subaguda, termo usado à época para designar a malária.

Apenas cinco anos após a morte de Antônio de Oxumarê, em 2 de outubro de 1931, José Alves dos Santos, afirmando ser seu sobrinho, requereu a abertura do inventário. Declarou ser filho de Maria do Carmo Conceição, irmã mais velha de Antônio Manoel Bonfim, falecida em 1906, aos 30 anos de idade, também vítima de impaludismo. No requerimento de abertura do inventário são apresentados os dados do seu tio, relacionados os bens e juntados comprovantes de parentesco que lhe permitiria reivindicar a condição de herdeiro.

Os bens inventariados foram "*duas casas edificadas em terreno da Fazenda Garcia situada à Mata Escura, Distrito da Vitória*". Consta também do processo de inventário três recibos de venda de um terreno de quarenta e oito metros, situado na Mata Escura, na estrada Dois de Julho, datados, respectivamente de 31.12.1918, 30.6.1919 e 31.3.1920, todos emitidos por Bernardo Martins Catarino, cada um no valor de vinte e quatro mil reis.

Estes documentos demonstram que Antônio Manoel Bonfim era Antônio de Oxumarê, ao qual fazem referência diversos documentos do seu inventário; e que ele foi o adquirente do terreno no qual até hoje está situada a Casa de Oxumarê cujas características foram assim descritas:

---

58 Inventário 07/3241/14, Secção judiciária, documento encontrado no APEBa por Gean Claudio Santana, ogã da Casa de Oxumarê

Casa de Oxumarê

> [...] com as paredes de taipa; medindo sete metros e sessenta centímetros de parede, e de frente ao fundo onze metros e quinze centímetros. Na frente duas janelas, uma porta ao centro, uma sala de visitas, corredor no centro, quatro quartos, sala de estar... [ilegível]..., cozinha, pequeno quarto. A sala de jantar, cozinha e o pequeno quarto são cobertos de folhas de zinco, ... [ilegível]..., e os outros cômodos de telha vã e o chão batido está estragado e precisando [ilegível]... avaliamos em três contos de réis outra casa situada no mesmo terreno arrendado à Fazenda Garcia, na Mata Escura, no Distrito da Vitória; e... [ilegível]... em terreno arrendado à Fazenda Garcia; de construção de esteiras com as paredes de taipa, medindo três metros e cinquenta centímetros de frente e de frente ao fundo seis metros. Na frente uma porta, duas janelas, sala...

A Casa de Oxumarê preserva, até os dias atuais, as mesmas características fundamentais, as quais sofreram apenas pequenas modificações para atender às demandas de espaço decorrentes das exigências da vida moderna sem, contudo, perder as características inerentes à sua condição de espaço de culto afro-brasileiro.

Pierre Fatumbi Verger e suas pesquisas

por Angela Lühning

Ninguém melhor para fazer conhecer e amar os cultos afro-brasileiros que Pierre Verger. Não somente suas numerosas viagens às duas costas lhe permitiram comparar as cerimônias brasileiras àquelas da África e descobrir sua perfeita unidade, mais ainda, ele não era um "homem de fora", o estrangeiro que olha com curiosidade e capta na sua placa sensível os gestos hierárquicos ou os rostos em transe. Ele pertence ao mundo do candomblé, ele é aceito pelos negros da Bahia como um dos seus, um verdadeiro irmão, um irmão branco. Os sociólogos norte-americanos inventaram um termo para designar uma técnica de pesquisa, que consiste justamente em se identificar com o meio que se estuda. É a observação participante. Mas Pierre Verger é mais que um observador participante, porque o eu-observador ainda coloca várias barreiras e desdobra a etnografia de modo pouco prazeroso em um homem de fora e um homem de dentro. O conhecimento de Pierre Verger é fruto do amor e da comunhão. Eu posso dar testemunho disso, eu que o acompanhei frequentemente nos santuários da Bahia e, quando ele não estava no Brasil, eu frequentemente ouvi falar dele, com tanta afeição, por iyalorixás, ogãs e filhas de santo, como um irmão espiritual. Poucos homens conhecem atualmente tão bem o candomblé quanto ele, no Brasil mesmo como em outros lugares. Ele o conhece bem, e fotografando deixa em suas admiráveis imagens suas primeiras impressões espontâneas; etnógrafo de respeitar a lei do segredo, aprendendo todas as coisas até hoje desconhecidas sobre os africanos. Que o leitor se deixe guiar por essas mãos seguras e amigas, ao país dos deuses tornados outra vez vivos dentro dos homens e, onde através de transes místicos, os corpos participam do rasgar dos céus por um raio, ao barulho das ondas do mar na praia, a germinação das plantas, o barulho dos animais da floresta. E que, graças a ele, este livro de ciências seja também um livro de comunhão[59].

Este trecho faz parte do prefácio de um dos primeiros livros de Verger, intitulado *Dieux d'Afrique*, escrito pelo sociólogo Roger Bastide. Quem era de fato esta pessoa apresentada de forma tão íntegra e elogiosa? Para entender a dimensão da gravação realizada em 1958 é indispensável apresentar o próprio idealizador proponente e responsável direto pela sua realização, Pierre Fatumbi Verger. Assim como a história do Ilê Oxumarê, a trajetória de vida de Verger também é densa e no âmbito deste trabalho, será recortada no que tange à gravação em si[60]. Certamente não foi por acaso que Fatumbi propôs a ideia da gravação aos seus amigos ogãs do Ilê Oxumarê, realizada no início de dezembro de 1958, após

---

59 Prefácio ao livro de Pierre Verger, Dieux d'Afrique. Paris, Paul Hartmann, 1957, p.9. Todas as traduções do francês deste livro, bem como das várias correspondências em francês entre Verger e seus amigos, foram feitas por Laurisabel Silva.
60 Mais detalhes sobre trajetória de vida e atuação profissional de Pierre Fatumbi Verger encontram-se ao final do livro nos anexos, bem como em várias publicações disponíveis no mercado e na biblioteca da Fundação Pierre Verger

mais de 10 anos da sua chegada à Bahia. Neste ínterim, Verger tinha feito muitas amizades no mundo do candomblé e fora dele, como fica evidente em correspondências, anotações e nas próprias publicações. Vamos acompanhar a sua trajetória até o momento deste convite.

Pierre Verger era de origem francesa e havia iniciado sua atuação profissional como fotógrafo no início dos anos 30, apesar de autodidata no ofício da fotografia. Mas devido à qualidade das fotos chegou a garantir o seu sustento, viajou por muitos países como repórter fotográfico independente e atendeu a pedidos de vários jornais da época. Com um espírito aventureiro e bastante observador desenvolveu um interesse especial por pessoas e suas respectivas expressões culturais durante as andanças pelos quatro cantos do mundo. Não lhe interessava fazer fotos posadas ou sob encomenda, ao contrário, ele buscava o espontâneo do momento com expressões naturais nas imagens que mostram pessoas nos mais diversos afazeres domésticos, festivos ou no ambiente do trabalho.

Ainda nos anos 30, algumas das primeiras viagens permitiram rápidos contatos com o continente africano e a América Latina que, desde então, chamaram sua atenção. Em 1946, finalmente conseguiu fixar residência no Brasil, e logo depois, na Bahia para trabalhar na renomada revista *O Cruzeiro*. Assim tornou-se colega do jornalista pernambucano Odorico Tavares, na época responsável pelo jornal Estado da Bahia e pela Rádio Sociedade. Juntos, realizaram inúmeras reportagens sobre o cotidiano da vida em Salvador. Por meio das fotos, Verger mostrava o que o Sudeste ainda conhecia pouco: as feiras, o mundo do trabalho em várias áreas, as expressões de fé nas várias religiões, a capoeira, as festas religiosas e profanas, artistas negros e brancos, especialmente a forte presença afrobrasileira na vida local. Verger também realizou muitas reportagens com outros jornalistas, conhecidos ou não, que, em maior parte, foram publicadas na revista *O Cruzeiro*.

Casa de Oxumarê

Desde a chegada na Bahia, em 5 de agosto de 1946, Verger andava por bairros diferentes, conheceu diversas agremiações profissionais e culturais, tornando-se amigo de estivadores, artistas, pessoas com as mais diversas profissões e tradições culturais, especialmente as afro-brasileiras. Assim, Verger se aproximou rapidamente do mundo do candomblé, tendo fixado nas suas anotações pessoais várias vezes as visitas às festas públicas nos terreiros. Nos primeiros anos, vivia no Chile Hotel, depois em um quarto no Caminho Novo do Taboão, no Pelourinho, acima da casa de um artesão que confeccionava santos em todos os tamanhos. Foi neste período, logo após a chegada, que Verger também conheceu o terreiro de Oxumarê: em 12/01/1947, anotou na sua agenda que visitou uma das festas de Oxalá, embora não tenhamos mais informações para saber se o contato foi mantido desde então ou foi se reforçando apenas nos anos 50. Mas, de qualquer forma, Verger teve uma vivência com vários dos terreiros da região da Vasco da Gama, frequentando festas na Casa Branca, na casa de Katita, Joana de Ogum e Pai Cosme - que era de Recife -, no Bogum, em Vidal, além de visitar com frequência Camilo, da Vila América, Mãe Raquel de Ilhéus, perto do Oxumarê, Mãe Senhora, do Afonjá, ainda residente no Engenho Velho de Brotas, tendo tirado algumas fotos nestes terreiros ou das pessoas ligadas a eles[61].

No final dos anos 40, surgiu nova oportunidade de viajar para a África, desta vez com o objetivo de conhecer mais detidamente as ligações entre as tradições religiosas dos dois lados do Atlântico, observadas por ele nas suas vivências anteriores. Devido aos seus contatos e

---

61 Verger sempre é visto como uma pessoa que teria tirado muitas fotos do candomblé, mas ao total o número é pequeno, relativo a algumas poucas casas, em geral de contextos mais abertos. Só de duas casas há fotos de cerimônias internas, feitas com a concordância das pessoas responsáveis da época. Ver também, Lisa Earl Castillo, Entre a oralidade e a escrita. Salvador; EDUFBA, 2008

interesses, acabou se aproximando do mundo dos conhecimentos orais e, em 1953, foi iniciado como babalaô, conhecedor das tradições do Ifá, recebendo o título de Fatumbi, "*renascido pelas graças do Ifá*". Assim, voltou ao Brasil com novas experiências e aprofundou os contatos com as casas de candomblé, em especial o Ilê Axé Opô Afonjá, no Retiro, onde foi confirmado como um dos obás de Xangô, Oju Obá, em 1953. Além das relações estreitas com este terreiro, Verger também recebeu vários outros títulos e cargos em diversas casas de candomblé[62].

Como dito anteriormente, Verger já conhecia a região da Vasco da Gama muito antes de vir a morar na Vila América, em 1960. Várias das pessoas e dos amigos que viveram na sua vizinhança eram ligados ao Ilê Oxumarê, na função de alabês e ogãs que tinham participado da gravação. Mas parece que as amizades com alguns destes ogãs já eram bem mais antigas, embora não possamos dizer exatamente desde quando. Verger contou com as habilidades manuais destes amigos durante alguns dos serviços da reforma da casa, comprada na Vila América, no Alto do Corrupio, no final de 1960, sua primeira residência fixa. Finalizadas as reformas, a casa foi pintada de vermelho, cor de Xangô, opção visual mantida desde então até hoje, abrigando a Fundação Pierre Verger no mesmo local.

> *Eu ia muito na casa de Verger junto com Geraldo e Seu Urbano, colocamos as janelas e pintamos a casa em uma cor bem viva, que Verger queria assim.*
>
> **Seu Cidinho**

---

62 Ele tinha sido suspenso na Casa Branca pelo Oxoguiá de Tia Massi, mas nunca chegou a confirmar o cargo, pois logo depois também foi suspenso no Ilê Axé Opô Afonjá, onde acabou se confirmando como Oju Obá, os "olhos do rei".

Casa de Oxumarê

Casa de Verger (Vila América, anos 1960)   *Pierre Verger na porta de casa (1990)*

Verger também é lembrado como visitante nas festas da Casa de Oxumarê, atraído pela força e expressividade do Ogum de Mãe Simplícia, famoso e muito comentado pelas pessoas da época:

> *Eu me lembro quando Pierre Verger esteve na Casa de Oxumarê pela primeira vez, estava com um bonezinho. Ele se encantou com o Ogum de minha mãe, isto foi em um churrasco que tinha antigamente, o churrasco de Ogum. [...] Tinha muita fartura de comida: feijoada, lombo, carne de porco, farofa... Tinha de tudo que se pudesse imaginar além das comidas dos Orixás e também as que as filhas de santo traziam. Verger viu aquela alegria toda, aquela festa bonita e se encantou! Foi neste dia, quando ele estava indo embora, que Ogum chamou Verger e disse que "o santo sabia que ele precisava de alguma coisa". Nesta hora, a Ogum de minha mãe deu um abraço nele e suspendeu ele como ogã. Foi assim a primeira vez que Pierre Verger esteve lá em Casa.*
>
> **Mãe Tania de Oxóssi**

OS CÂNTICOS QUE ENCANTARAM *Pierre Verger*

Já as filhas do alabê Paizinho deixaram outras impressões sobre Verger no Ilê Oxumarê. Rememoram o período em que Verger visitava o pai delas, também fora dos momentos das festas, junto com outros amigos artistas. Neste período ambas moravam na roça de candomblé com a família, hábito comum entre os ogãs e alabês, que levavam suas famílias aos terreiros.

> *Verger, quando a gente morava aqui vinha muito aí, Carybé, Mário Cravo, tanto que eles fizeram filme, (...) no Rio de Janeiro, chamado "Bahia de Todos os Santos". Meu pai foi o artista principal porque ele era quem cantava.*
>
> *Dona Edna*

> *Porque esse daí foi que foi chamado "Bahia de Todos os Santos", só que não ficou aqui em Salvador, ele passou no Rio de Janeiro. Do Rio de Janeiro seguiu pra França. Pierre Verger vinha procurar muito ele [Paizinho], sabe?*
>
> *Dona Marina*

Além deste relato, não nos consta que Verger tenha participado de modo efetivo neste filme de 1961. Pode, sim, haver indicado nomes e fontes para os cinegrafistas, pois na memória das pessoas, o nome de Verger é associado ao contexto artístico e aos artistas da época[63].

---

63 Este filme tem a direção de Cel. José Trigueirinho Neto e traz de fato algumas cenas de candomblé, que são indicados nos créditos como sendo do candomblé do Engenho Velho, porém sem especificação de nomes, com a exceção de Mãe Massu de Oxum, em um dos papéis principais. Ela era uma das filhas de santo do Oxumarê do tempo de

Casa de Oxumarê

Ao procurar pistas sobre o filme, descobrimos que este contou de fato com a participação de pessoas da casa, com destaque especial para a atuação de Mãe Massu, no papel da mãe de santo. Ela teve um vínculo importante com as mulheres que participaram da gravação de Verger, em maior parte integrantes do primeiro barco.

Ainda existe outro filme, realizado na mesma época, também envolvendo pessoas de candomblé. Este filme que foi mencionado por Verger em uma carta a Seu Geraldo, um dos participantes da gravação, chamava-se "*O santo módico*". Na carta, Verger ressalta que um dos protagonistas era o tio de Geraldo, Xavier, a ser apresentado adiante[64].

A casa ganhou, aos poucos, bastante visibilidade e reconhecimento em vários meios, como é perceptível por relatos de várias pessoas trazidas ao Oxumarê por Verger, entre elas sua amiga, a compositora e pianista paulista Eunice Katunda (1915-1990). Ela chegou a visitar a casa várias vezes no final dos anos 1950[65] e nos deixou uma descrição de um dos principais participantes da gravação, Paizinho, o alabê, além de descrever Mãe Simplícia.

Mãe Cotinha. O interior da casa de candomblé filmada parece ser a Casa de Oxumarê, mas isso carece de confirmação ainda. Diferente do que Dona Marina informou, o filme parece ter seguido para Itália e não para a França, uma vez que foi vertido para o italiano, como informam os créditos.

64 Ainda não foi possível encontrar pistas deste filme, realizado depois de Bahia de Todos os Santos.

65 Ela vinha tanto devido a compromissos profissionais, nas recém criadas Escolas de Artes da UFBA, para as quais era chamada para palestras, quanto espirituais, visitando também o Ilê Axé Opô Afonjá.

OS CÂNTICOS QUE ENCANTARAM *Pierre Verger*

```
Pierre Verger
Hotel Henri IV
25 Place Dauphine
Paris  1er
França                       18 de março de 1962
```

Caro amigo Geraldo

  Cheguei sem novidades em Paris faz um pouco mas de um mes, e estou com muitas saudades já da Bahia.

  Ontem eu vi a presentação de uma primeira copia do film feito em Salvador, "O Santo Modêrno" e eu vi entre o pessoal que apparece na tela o seu tio Xavier entre varias outras caras conhecidas.

  Me lembrando que fim desta semana voce vai fazer um anno mas, eu lhe mandou aqui junto um dinheirozinho, espero que chegara sem novidades em suas mãos.

  Quando voce tem tempo escreve e me dice como vão as coisas na boa terra e si todos os amigos são bem de saude e de financas, o que lhe dezejo a voce em particular.

  Sáuda para mim os ditos amigos, O Paezinho & Cia, a sua Mae, os tios, dona Simplicia e mais pessoal Candomblezeiro o de fora da Seita.

  Estou trabalhando nesta chata cidade para me livrar da obra que tenho de fazer, e depois si os Orixas quizer voltarei seja para Africa um pouco e a Boa Terra depois o seja o contrario.

  Sem mais no momento o deixa com abraço o seu amigo

P.S. Junto uma "enveloppe" com o meu endereço para facilitar a voce mandar me uma cartinha.

Carta de Pierre Verger a Seu Geraldo

Casa de Oxumarê

Foi graças ao Fatumbi Verger que conheci Paizinho, e é a Verger que devo o estímulo que me levou a escrever este livro[66], com a qual nem eu mesmo contava. As notas que se seguem, inclusive as notações musicais e rítmicas do anexo, deverão ser consideradas como um início de trabalho a ser ainda mais desenvolvido e aprofundado. No dia aprazado, tomamos um daqueles vagarosos bondes do Rio-Vermelho-de-Baixo, agora suprimidos, dirigindo-nos para a Casa de Oxumarê, situada a meio caminho entre o Rio Vermelho e o Dique. Ao fim da subida íngreme, pelo caminho molhado e escuro, já nos esperava Paizinho e mais dois ajudantes, encarregados dos outros dois atabaques, o lê e o rumpi. Na casa vazia, pois não era dia de obrigação, fomos conversando, ouvindo, esclarecendo, discutindo, entusiasmados. Mãe Simplícia que só assistia, porém não participava, acabou se interessando também e nos fez a honra de mostrarnos, ela mesma, determinados detalhes da dança de Obá, por cujos gestos, muito semelhantes a certos mudrás hindus, eu andava especialmente interessada. Nesta mesma casa já

---

66 Este livro nunca foi terminado nem publicado, imagina-se que parte dos manuscritos aqui citados fariam parte dele. As transcrições musicais mencionadas até hoje não foram localizadas, nem pelo filho, no material que a sua mãe deixou, nem tampouco há pistas nos acervos da Fundação Pierre Verger.

tivéramos ocasião de assistir a várias festas, inclusive presenciando um incidente com turistas que vale a pena contar-se aqui.[67]

Como sua amiga Eunice, Verger frequentava muitas festas na casa e, em outros momentos, também saia com seus amigos alabês para visitar outras casas de candomblé por perto, como vários deles relataram. Um dos participantes destas visitas era o artista plástico Carybé, que fixou suas impressões das festas na Casa de Oxumarê em aquarelas[68].

Já conhecia Verger, ele tinha conhecimento de meu irmão, que a gente sempre andava junto, desde quando ele chegou por aqui. Era Verger, era Vivaldo[69]*, Carybé. A gente sempre andava junto, subindo ladeira debaixo de chuva e tudo para ir para candomblé. Era muito coligado.*

Seu Januário

Neste ambiente de descontração, Verger também tirou algumas fotos dos amigos no cotidiano, embora não tenham sido muitas. Seu Geraldo mostrou, pouco antes de morrer, uma foto dele no campo de futebol, no Alto do Sobradinho, atrás da Casa de Oxumarê, que guardara entre seus pertences como presente de Verger desde aquele período.

---

67 "Os cinco sentidos", manuscrito não publicado de Eunice Katunda.
68 O livro de Carybé, Iconografia dos deuses africanos no candomblé da Bahia. São Paulo, Editora Raízes Artes Gráficas, 1980, traz também referências ao Oxumarê.
69 O outro nome citado, Vivaldo, refere-se a Vivaldo da Costa Lima, que destaca os alabês do Oxumarê no seu livro, A família de santo nos candomblés jejes-nagôs da Bahia: um estudo de relações intragrupais. Salvador Corrupio, 2003.

Casa de Oxumarê

Seu Geraldo no campo de futebol atrás da Casa de Oxumarê, anos 1950

> *Eu era menino, estou com setenta e dois anos de idade hoje, Pierre Verger não saía da Casa Branca, não saía do Oxumarê, e não saía de lá de cima. Principalmente aqui ele ficava falando com o falecido Cipriano Manoel do Bonfim[70]*

Walter Neves

---

70 Cipriano sempre foi mencionado por Verger como um dos últimos alabês a construir atabaques com tronco de coqueiro, além de ser exímio músico. Ele era ligado à Casa Branca e morava atrás do terreiro na Ladeira do Bogum

OS CÂNTICOS QUE ENCANTARAM *Pierre Verger*

Porque eu tinha a foto de Erenilton que ele tirou né? Ele achou Erenilton bonito. Porque ele disse que Erenilton era um negro africano bonito. Porque Erenilton era muito preto! Ele dizia que Erenilton era africano, jovem e africano. Porque naquele tempo, no candomblé, meu pai não deixava menino, criança passar. E Erenilton já tava um rapazinho naquele tempo e assim ele tirou a foto dele cantando, eu tenho até hoje, tem escrito Pierre Verger [na foto].

Mãe Tania

Verger? Eu ia muito na casa dele e ele me ensinou a contar e a dizer as horas em iorubá.

Seu Erenilton

Curiosamente, não foi localizada nenhuma foto de Verger que representasse o momento da gravação. Tampouco existem outras fotos da Casa de Oxumarê que documentem cerimônias religiosas, a não ser algumas poucas de momentos fora do contexto religioso, tiradas perto do terreiro. Os motivos pelos quais Verger não fotografou estes momentos tão importantes se devem ao fato de membros da Casa possuírem certa cautela quanto a permitir fotografias, principalmente de seus espaços sagrados. Apenas encontramos fotos que não foram classificadas como sendo da Casa de Oxumarê, mas sim, na categoria de pessoas amigas, como a de Paizinho, que apareceu durante um carnaval saindo no Afoxé Filhos de Gandhi, e seu Geraldo em vários lugares cotidianos.

Será que outras fotografias se perderam? Pelas suas correspondências, Verger dá a entender que, pelo menos, teve a intenção de fazer fotografias do barracão.

Casa de Oxumarê

Seu Erenilton, anos 1950

No dia 4 de dezembro de 1958 escreve para seu amigo Roger Bastide, respondendo à solicitação deste para fotografar o pilão central do barracão para completar uma das pesquisas realizadas. Este detalhe mostra que Verger esteve naqueles dias no terreiro, provavelmente para completar procedimentos ligados à gravação. Tudo indica que Verger continuou frequentando a casa enquanto esteve na Bahia, naquele período entre 1958-59, como vemos nas correspondências com Bastide, que várias vezes também solicitou novidades e informações a ele.

OS CÂNTICOS QUE ENCANTARAM *Pierre Verger*

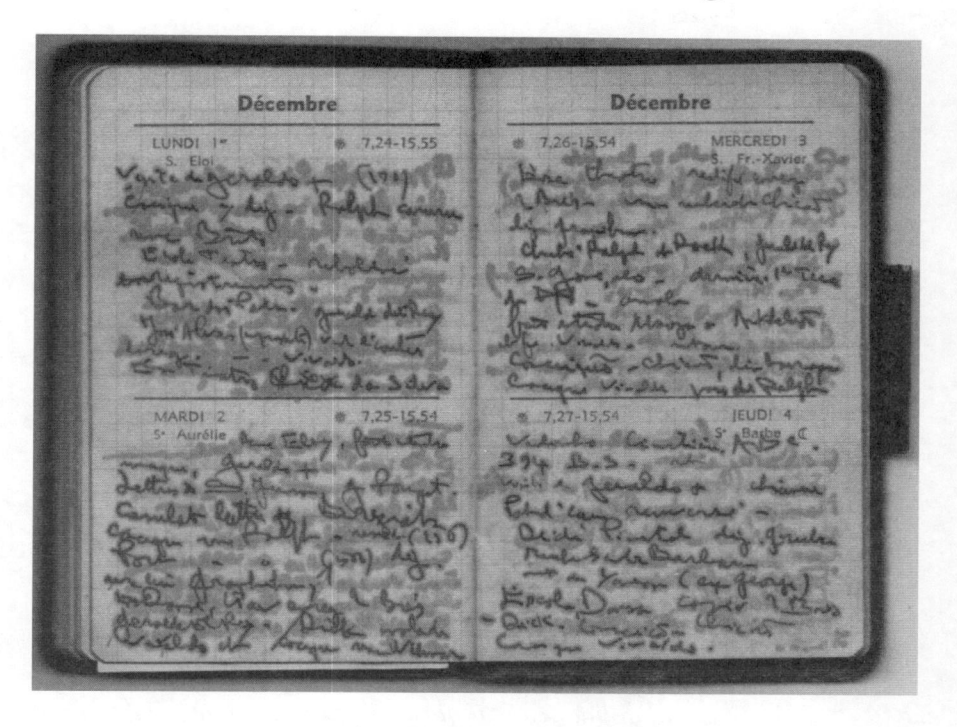

Anotações da caderneta pessoal de Pierre Verger

> *Eu acho que poderei fotografar um dia desses o pilão central[71] da Casa Oxumarê. Aliás, ele está, neste momento, ornado por um charmoso abajur verde claro que lhe dá um aspecto de candeeiro que lhe vai muito bem.*
>
> **Verger a Bastide, 4 de dezembro de 1958**

---

71 Bastide havia pedido a Verger, em carta do dia 8 de novembro de 1958, uma foto do pilão central da Casa de Oxumarê para ilustrar a tradução portuguesa do seu livro, O candomblé da Bahia: rito nagô. São Paulo, Companhia das Letras, 2001. Ele deu grande importância a este elemento arquitetônico e consagra muitas páginas de seu livro (pp.101-108) ao simbolismo deste poste central e sua função ritual

Casa de Oxumarê

Ontem eu estive no terreiro Oxumarê, onde estava acontecendo o Segundo domingo de Oxalá. O candeeiro - pilão central - tinha em cima um belo abajur prateado. Seu amigo Joãozinho da Goméia, de passagem pela Bahia desde o último mês, veio visitar Mãe Simplícia. Sua Iansã subiu à cabeça e ele se debateu, meio sem graça, apesar de não ter sido afligido de um "embonpoint[72]" respeitável.

Verger a Bastide, 12 de janeiro de 1959

A relação de Pierre Verger com a Casa de Oxumarê foi vista de forma bastante natural e próxima, como é lembrado por algumas pessoas:

Ele conseguia transitar com muita facilidade entre as pessoas. Talvez pela calma dele, talvez pela maneira com que ele sabia lidar com as questões. Eu gostava dele, e de Carybé também. Foram pessoas assim maravilhosas. Eu me lembro. Carybé só teve aqui uma vez. Pierre Verger veio visitar o terreiro todo, esteve com Mãe Nilzete, conversou muito. Veio, depois veio de novo, depois eu fui até lá. Ele falava daqui com muita naturalidade, A maneira como ele falava, parecia que ele era daqui.

Sandra Bispo

---

72 Não foi possível traduzir esta palavra, e é possível que tenha sido uma das constantes criações de Verger que inventava muitas palavras nas correspondências com os seus amigos mais próximos, às vezes juntando partículas de várias línguas.

Ciclo matriarcal da Casa de Oxumarê

por Silvanilton Encarnação da Mata (Babá Pecê)

A Casa de Oxumarê foi agraciada com grandes iyalorixás, que com garra, determinação e força garantiram a continuidade de uma história de luta e resistência em defesa do axé e de sua família de santo, dedicando amor, calor e proteção espiritual dos Orixás a todos que necessitavam de um aconchego de mãe.

Casa de Oxumarê

Ìyá Cotinha de Ewá

Maria das Mercês
Posse 1927

OS CÂNTICOS QUE ENCANTARAM *Pierre Verger*

ÌYÁ SIMPLÍCIA DE OGUM

Simplícia Basília da Encarnação
Posse 1953

Casa de Oxumarê

Ìyá Nilzete de Iemanjá

Nilzete Encarnação Austracliano
Posse 1974

OS CÂNTICOS QUE ENCANTARAM *Pierre Verger*

Babá Pecê de Oxumarê

Silvanilton Encarnação da Mata
Posse 1991

Babá Pecê perpetua o legado de seus ancestrais, conduzindo a Casa de Oxumarê com a mesma dignidade. Seu olhar contempla a todos, não só aos seus filhos e filhas de santo. Sua luta é em defesa da cultura e religiosidade africana e união dos povos.

Angela Lühning e Silvanilton Encarnação da Mata

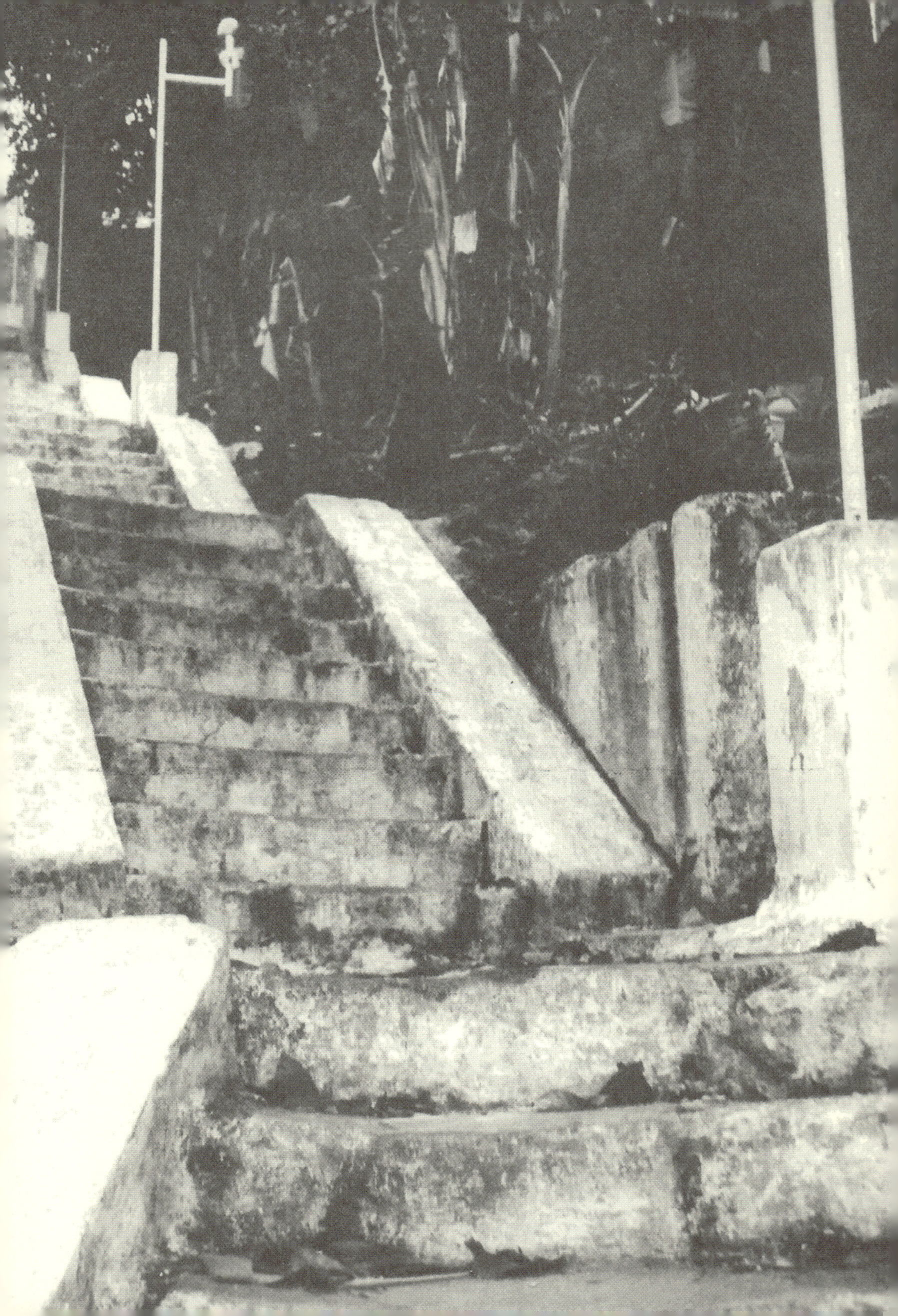

A HISTÓRIA DA GRAVAÇÃO

por Angela Lühning

O principal objetivo da gravação foi a organização de um disco LP com a tradição musical dos candomblés da Bahia, incluindo no encarte a transcrição das letras dos cânticos religiosos em iorubá e sua tradução para o português. Desde meados dos anos 50, Verger tinha começado a se interessar pelas possibilidades de documentação sonora por intermédio de contatos e colaborações com seu colega Gilbert Rouget, pesquisador da área de música, etnomusicólogo, que trabalhava no Musée de L'Homme em Paris[73]. Rouget já havia realizado gravações de LPs com músicas africanas tradicionais, algumas até em parceria com Verger.

Este novo recurso tecnológico chamou a atenção de Verger, que via na gravação discográfica a possibilidade de conectar os dois lados do Atlântico através da música. Tanto ele trouxe materiais da África, quanto queria levar os cânticos sagrados de volta para a África e restabelecer contatos através do som. Verger queria comparar a gravação da Casa de Oxumarê com outras gravações feitas na África e mostrá-la também a pessoas da Nigéria e do Benin, para que pudessem traduzir as letras dos cânticos, nem sempre todos traduzíveis na Bahia. Isso se deve ao fato de ter sido

---

[73] As indicações discográficas que constam na bibliografia do livro de Pierre Verger - Notas sobre o culto aos Orixás e Voduns. São Paulo, Edusp, 1999 (1957), p.589 -, dão uma ideia de seu empenho em relação a gravações como forma de documentação etnográfica em um período em que isso ainda não era comum.

perdido o uso das línguas iorubá e fon na vida cotidiana da Bahia depois da Abolição, e ambas terem se transformado em línguas apenas rituais, presentes nos candomblés de procedência Iorubá e Jeje.

Os anos 1950 e 1960 também foram um período de novas aproximações entre Brasil e África, especialmente a África Ocidental[74]. Este processo, em parte, foi protagonizado por Verger, que contribuiu por meio de pesquisas e publicações para difundir as intensas relações culturais e históricas entre os dois continentes e, especialmente, entre a Bahia e o Golfo do Benin, no tocante às tradições iorubás e jejes. A maior possibilidade e facilidade de trocas de informações através da fotografia, da gravação em áudio e até de filmes documentários, certamente, foi fundamental para o desenvolvimento de novos procedimentos de pesquisa, algo impossível algumas décadas antes.

Neste mesmo ano de 1958, Verger já tinha feito algumas experiências com a gravação sonora, pois Gilbert Rouget deixara à sua disposição um gravador de rolo do modelo Uher, o primeiro aparelho portátil a permitir manuseio mais simples. A gravação foi realizada com duas senhoras na Nigéria que tinham nascido na Bahia e em Pernambuco e se mudado para a África depois da Abolição, precisamente no ano de 1899. Verger conheceu Maria Ojelabi e Maria Romana da Conceição no bairro brasileiro em Lagos, na Nigéria, onde muitos dos *agudás*, os retornados do Brasil, residiam. Ele gravou algumas músicas que elas ainda lembravam do tempo de sua infância no Brasil, cantando em português, língua materna que haviam mantido durante as décadas, além de terem

---

74 Também é um momento de intensas transformações na África, pois naquele período, em torno de 1960, muitos países africanos finalmente tornaram-se independentes, tema abordado por Verger em vários dos artigos produzidos para a revista *O Cruzeiro*. Estes artigos não chegaram a ser publicados pela revista, mas parte destes textos foi reunida no livro de Angela Lühning, Pierre Verger Repórter fotográfico. Rio de Janeiro, Bertrand Brasil, 2004.

aprendido iorubá e inglês. Parte deste repertório foi incluída em dois programas de rádio, idealizados por Verger e produzidos e transmitidos na mesma época da gravação da Casa de Oxumarê, em dezembro de 1958, pela Rádio Sociedade RPA4, em Salvador, e depois pela Rádio Nacional[75].

Ao chegar naquele ano na Bahia, Verger trouxe mais um documento sonoro - oriundo da Nigéria - nas suas mãos: a gravação de uma saudação do Rei da cidade de Osogbo, o *Ataoajá*, dirigida a mãe de santo de Verger, Mãe Senhora do Ilê Axé Opô Afonjá, que estava festejando 50 anos de feitura no candomblé, no dia 4 de novembro. Esta saudação fonográfica, falada em língua iorubá, igualmente foi integrada em um dos programas de rádio, já mencionados, levando ao público local a sonoridade de uma das línguas africanas faladas no dia a dia de Salvador até o final do século XIX, e que influenciou o sotaque baiano.

Quando chegou ao Brasil no final de outubro de 1958, Verger tinha acabado de encerrar uma viagem à África Ocidental com o amigo Roger Bastide. Verger conduziu o sociólogo francês à Nigéria e ao Benin em sua primeira viagem de pesquisa àquele continente; mostrou-lhe tradições que já eram familiares para ele e que para Bastide, naquela ocasião, foram descobertas. Os dois amigos passaram dois meses viajando por várias cidades destacadas pelas suas tradições culturais e religiosas. Desta viagem resultou a produção conjunta de artigos, dos quais alguns poucos foram publicados pela revista *O Cruzeiro* ou por outros veículos de comunicação[76].

---

75 Os manuscritos do texto destes dois programas da série "Vamos cantar a Bahia" encontram-se no acervo da Fundação Pierre Verger.
76 Textos desta parceria e uma análise deste contexto encontram-se em Lühning (org.), Verger-Bastide: dimensões de uma amizade. Rio de Janeiro, Bertrand Brasil, 2002.

Casa de Oxumarê

Roger Bastide no Benin, 1958, durante uma cerimônia religiosa

Várias das reportagens realizadas pelos dois amigos, ou somente por Verger, referiam-se à nova situação política e econômica dos países da África Ocidental, mostrando assim uma África contemporânea ainda pouco conhecida[77]. Tudo indica que foi a partir destas experiências prévias em captação de áudio que Verger partiu para a ideia de gravar o repertório tradicional de casas de candomblé. Existem poucas

---

77 Ver os artigos da época, incluídos no livro de Angela Lühning (org.) Pierre Verger repórter fotográfico. Rio de Janeiro, Bertrand Brasil, 2004.

OS CÂNTICOS QUE ENCANTARAM *Pierre Verger*

informações escritas por Verger sobre procedimentos ou resultados, além do material em si. Portanto, para melhor entender o contexto, foi necessário estabelecer diálogos com as pessoas que participaram da gravação ou viveram no terreiro à época. Várias delas contribuíram com informações importantes sobre a gravação e a casa de candomblé em si.

Bastide e Verger no aeroporto de Lagos (Nigéria) em 1958

Por motivos desconhecidos a gravação não foi realizada no terreiro, mas em local externo: na recém fundada Escola de Teatro da UFBA, pelo que tudo indica, no Teatro Santo Antônio, inaugurado naquele mesmo

Angela Lühning e Silvanilton Encarnação da Mata | *101*

ano, hoje rebatizado como Teatro Martim Gonçalves, em memória do primeiro diretor da Escola. Eros Martim Gonçalves era um artista pernambucano com formação ampla e foi muito amigo de Verger desde o período da chegada deste a Bahia em agosto de 1946[78]. Desconhecemos as razões específicas da escolha da Escola do Teatro, mas deve ter pesado o fato de se tratar de um local com espaço reservado e acústica adequada, pois, por questões de ordem religiosa ou técnica, deve ter sido impossível gravar diretamente no terreiro. Sobre a realização da gravação, Verger escreve a um amigo, Dick de Menocal, quando ele já se encontra a bordo de um navio viajando para a Europa, para depois seguir para África:

> *Antes de eu sair eu tive a oportunidade de realizar com ajuda financeira e técnica de Martim Gonçalves a gravação de um completo toque de candomblé, com canções e tudo; é um bom documento, e eu espero ser capaz de conseguir as traduções dessas canções na Nigéria quando eu estiver lá, em dois meses.*
>
> *Verger, 4 de maio de 1959*[79]

Não nos restaram informações diretas ou detalhadas sobre a gravação, apenas sabemos que foi realizada num dos primeiros dias de dezembro de 1958, gravando-se um xirê inteiro, na sequência tradicional dos cânticos dirigidos aos Orixás na primeira parte de uma festa pública, porém sem intencionar "chamar os Orixás". As impressões das pessoas envolvidas se completam em relação a vários detalhes:

---

[78] Não sabemos ainda através de quem, quando e onde os dois amigos teriam se conhecido.

[79] As traduções dos trechos de cartas em inglês foram gentilmente realizadas por Laila Rosa.

OS CÂNTICOS QUE ENCANTARAM *Pierre Verger*

Verger veio de outro lugar. Falando embolado, não sei o quê... aqueles negócio. Depois que ele começou falar direito. Aí ele levou a gente pra um colégio. Esse colégio eu não me lembro. Foi lá que a gente gravou esse disco [...] A minha mãe chamou, pra ir todo mundo. Que ela primeiro falou com a gente, ele veio aqui falar com Dona Simplícia, se a gente podia [...] Só tinha a gente do primeiro barco.

Dona Filhinha

A gravação foi feita perto do antigo Pronto Socorro do Canela com Francisquinho, Paizinho, Geraldo. Colocamos panos nos couros para abafar o som, para não ficar alto.

Seu Januário

A gravação eu fui fazer pra ele levar pra África! Essa gravação foi na Escola de Teatro, ali no Canela [...] E aí Verger levou essa gravação pra África; quando chegou lá que colocou essa gravação lá na África. Africanos, se lembrando das bisavós deles. Ele chegou todo... todo empolgado. Verger voltou todo empolgado depois dessa gravação.

Aí levou [os atabaques] pra lá numa "Kombi". Tipo uma "Kombi". Professor Agostinho que mandou de lá da Escola de Teatro [...] Era professor na Escola de Teatro [...] Ele era muito falado aqui na Bahia, um homem muito educado.

Seu Geraldo

Angela Lühning e Silvanilton Encarnação da Mata

Casa de Oxumarê

Parece plausível que alguns dos envolvidos não lembrem com exatidão do local e dos nomes dos responsáveis pelos trâmites institucionais, pois a Escola de Teatro, naquele momento, era muito nova ainda, com pouca visibilidade entre pessoas de fora do âmbito acadêmico. Na região do bairro do Canela, o lugar mais conhecido era o antigo Pronto Socorro, quase na frente da Escola de Teatro, que durante décadas foi lembrado pela população como referência principal.

O professor mencionado era Agostinho da Silva, o fundador do CEAO - Centro de Estudos Afro-Orientais -, que seria o professor de Filosofia das Artes na Escola de Teatro, e era amigo de Martim Gonçalves e Pierre Verger, e, possivelmente, envolvido no contexto da gravação. Os três, além de outros artistas e intelectuais, integravam um grupo motivado por ideais comuns: valorizar as tradições locais, mostrá-las e inseri-las na discussão sobre cultura brasileira. As possibilidades de reconhecimento da cultura, neste período, diferiam das décadas anteriores, quando o candomblé e outras tradições foram desqualificadas e perseguidas ou vistas apenas como folclore. Deste grupo faziam parte, além dos nomes já mencionados, também a arquiteta Lina Bo Bardi[80] e a compositora Eunice Katunda.

Mesmo que Verger tenha chegado da África poucas semanas antes, não encontramos informações seguras de que tivesse contatado seus amigos do Oxumarê anteriormente. Ao contrário, em algumas cartas do período, Verger aventa a possibilidade de fazer uma gravação no Afonjá, o que parece até lógico, uma vez que ele já tinha estabelecido vínculo

---

80 A arquiteta Lina Bo Bardi (1995-1992) também fez parte deste contexto de reflexão sobre a cultura brasileira e seus diálogos com universos tidos como mais acadêmicos. Ela também foi muito amiga de Pierre Verger e dos demais envolvidos no contexto da gravação, especialmente de Martim Gonçalves com quem desenvolveu vários projetos no âmbito da cultura popular e fez planos para outros que não chegaram a ser realizados devido a sua saída da Bahia no início dos anos 60.

espiritual muito forte com a casa, mas efetivamente não existem pistas das possíveis propostas e negociações entre as pessoas. Só sabemos que poucos anos antes, em 1955, foi realizada uma gravação no Afonjá pela pesquisadora francesa Simone Dreyfuss-Roche. Esta gravação, feita durante uma festa de Xangô, foi transformada em um lado do LP "Brésil - Bahia", publicado pelo selo "Musée de L'Homme" em Paris ainda em 1955, sendo difundido apenas na França. Verger se refere a este amplo contexto de possibilidades em uma carta ao amigo etnomusicólogo Gilbert Rouget, mencionando a gravação que ele trouxera da África com a saudação do *Ataojá*, rei de Osogbo, cidade de Oxum, para ofertar à sua mãe de santo, Mãe Senhora.

> *Eu fiz escutar o segundo discurso de Ataojá pra Oshunmiwa, nome de nossa Mãe Senhora, que estava contente com esta atenção real. Ela apreciou os orikis e os cantos para Oxum com o respeito que convinha. Jorge Amado, que estava presente à audição, estava bastante feliz e falou em editar no Brasil um disco (que disco mania). A ideia seria pegar uma parte dele, e completar com as cantigas registradas por S. Xangô[81], há dois anos, que constituiriam uma das faces do disco, e, para o outro, realizar no terreiro de Mãe Senhora (que é de acordo) um registro de toques correspondentes, que permitiria fazer comparações. Me digam o que vocês pensam e se estariam de acordo com as nossas utilizações, assim como de parte dos seus registros.*

Carta de Verger a Rouget, dezembro de 1958

---

81 Aqui refere-se ao disco feito pela Simone Dreyfuss. Pelo trocadilho feito, parece que ela era de Xangô.

Casa de Oxumarê

Podemos até perguntar o que um projeto de gravação desta natureza poderia significar no ano de 1958, em uma época na qual esta tecnologia era pouco usada e ainda se sabia pouco sobre o candomblé e seu universo, apesar das primeiras publicações que surgiram aos poucos. Ele ainda sofria certas restrições, embora já passasse por um lento processo de aceitação e inserção na sociedade da época. E quais teriam sido as razões de escolha dos participantes efetivos por Verger e os argumentos de aceitação dos envolvidos da Casa de Oxumarê? Só podemos imaginar as possíveis expectativas de ambos os lados e deduzir que houve algum tipo de negociação entre o momento da sugestão da ideia e a aceitação da proposta. Mas parece evidente que, após a fase de sondagem, foi um projeto que contou com a aceitação plena dos participantes, tanto da parte da liderança da casa, quanto dos participantes efetivos. Quase todos os entrevistados, especialmente os homens, comentaram que receberam uma quantia considerável por sua participação na gravação. Este valor foi entregue ao líder do grupo, Seu Paizinho, para fazer a distribuição e, apesar de todas as boas intenções, parece ter havido alguns desentendimentos entre os alabês em relação à partilha, mas não foi possível esclarecer detalhes. Tampouco sabemos se o valor disponibilizado para cada um dos participantes teria sido assumido financeiramente por Verger e Martim Gonçalves ou somente pelo último.

> *...foi mais de "70 mil réis". Era dinheiro como o quê, rapaz. Eu que recebi o dinheiro, dei o dinheiro a Paizinho pra ele distribuir com o pessoal!*
>
> **Seu Geraldo**

> *Eu gostei porque eu ganhei! Todo mundo ganhou dinheiro, não foi de graça, não. Quinhentos reais naquele tempo era*

dinheiro. Não sei se foi quinhentos reais, não sei nem dizer como era [...] A gente era muito unida [...], não tinha nada de briga, nada dessas coisas [...] depois ouvimos a gravação, aqui mesmo [...]

Dona Filhinha

Tampouco podemos imaginar quais poderiam ter sido as repercussões desta gravação, caso os LPs tivessem sido publicados na época, como era planejado. Certamente foi uma proposta inusitada, pois gravações documentais, de caráter etnomusicológico, ainda não eram muito comuns no Brasil, menos ainda mostrando a cultura afro-brasileira, mesmo considerando que a circulação dos discos provavelmente seria centrada na França.

O que teria levado a mãe de santo Simplícia a aceitar a proposta de Verger para participar com as suas filhas de santo nesta gravação? É uma pergunta difícil de responder e obviamente não temos informações diretas da parte dela, mas podemos supor que entre as pessoas envolvidas tenha existido uma base de confiança e de respeito mútuo, apesar das ausências seguidas de Verger durante as suas viagens para a África e outros lugares. Além disso, talvez fosse uma maneira de se inserir em um circuito de visibilidade maior, já que Mãe Simplícia somente há pouco tempo assumira a liderança da casa. Neste contexto não podemos esquecer que, alguns anos antes, Mãe Simplícia tinha participado do encontro com o então Presidente Vargas em Poços de Caldas, fato que até hoje sempre é lembrado com orgulho pelos mais velhos da casa.

Foi tudo gravado num dia só. Levou os atabaques [...] levou muita coisa [...] [gravou] o xirê todo.

Dona Filhinha

Casa de Oxumarê

Tampouco sabemos por que, afinal, a gravação não foi publicada. Mas, pelo que aparece nas correspondências subsequentes, especialmente as trocadas entre Pierre Verger e Martim Gonçalves, a hipótese mais plausível é que o alto custo para a finalização da gravação inviabilizou o projeto. A correspondência entre os dois amigos oferece algumas pistas. Através dela sabemos da real complexidade do projeto, a princípio prevendo a inclusão das traduções dos cânticos em iorubá para o português, feitas com a ajuda de amigos nigerianos e benineses de Verger, além de transcrições que deveriam ser realizadas pela compositora Eunice Katunda. Mas parece que ela esperou um bom tempo pelo material e, na verdade, nem se sabe se chegou às suas mãos, pois ela diz em uma carta em 25 de agosto de 1959: "*continuo esperando ansiosamente as gravações dos toques e cantigas*". Verger responde em 14 de outubro do mesmo ano, já da cidade de Osogbo, na Nigéria:

> *Questão dos toques que queremos publicar cópias das originais são nas mãos do Martim Gonçalves na Bahia e si você vai por lá o melhor seria de pedir-lhe de fazer uma cópia pra você, o levar o ejemplar emprestado por el. Não tive ainda a oportunidade de trabalhar sobre a tradução dos textos dos cantigos, por não dispor de um magnetophone, porem faz pouco tempo consegui um e vou começar o trabalho este. Tem intenção de fazer escutar cada trecho de cada Orixá por um babalorixá o iyalorixá do dito Orixá, e aproveitar da ocasião para gravar algumas coisas deles, o que gostaria, mas seria necessário de poder dispor de uma segunda máquina e poder gravar as reações dos ditos babalorixás de África escutando as cantigas do Brasil, sem intervenção de speaker o de outros chatos que a rádio sempre bota*

no médio das emissões e que corta tudo e faz que tudo na rádio parece o mesmo, sem graça e espontaneidade.

**Verger a Eunice Katunda,
14 de outubro 1959**

Qual das etapas deste complexo projeto efetivamente chegou a ser concluída, não sabemos, pois no acervo de Eunice Katunda não constam as transcrições e nem foram achadas as planejadas traduções no acervo de Verger. Já os materiais pertencentes à gestão de Martim Gonçalves como diretor da Escola de Teatro, guardados naquele local, parece que destruídos por um dos seus sucessores, uma vez que várias pessoas se opuseram à sua permanência no cargo de direção da Escola de Teatro no início dos anos 60, após alguns incidentes até hoje não esclarecidos[82]. Com o fim do mandato do Reitor Edgar Santos, responsável pela criação das escolas de artes da UFBA, Martim Gonçalves, após muito desgaste, também deixa o cargo. Para elucidar a história da gravação, colocamos alguns trechos de cartas, trocadas entre Verger e Eros depois de 1958.

A CORRESPONDÊNCIA ENTRE PIERRE VERGER E MARTIM GONÇALVES

Na correspondência trocada encontram-se informações que podem ajudar a entender a dimensão do projeto, além de evidenciar a participação importante de Martim Gonçalves como representante da UFBA. "*Foi vagamente levantada a questão de se fazer um disco editado pela Universidade da Bahia, para o Congresso de Cultura Luso-Brasileira*",

---

[82] Jussilene Santana em seu livro Impressões modernas. Teatro e jornalismo na Bahia. Salvador, Vento Leste, 2009.

Casa de Oxumarê

diz Verger nesta carta ao seu amigo Rouget, do 1/12/1958, embora não se soubesse se Verger estava falando do disco resultante da gravação do Oxumarê. Mas tudo indica que ele estava se referindo à gravação, centro deste livro. Esta possível vinculação da gravação do Oxumarê com outros projetos ligados à universidade, aparece em outras cartas também:

> *Meu caro Eros,*
> *Desejo te agradecer por tudo o que você tem feito e tudo que você parece querer fazer para realizar os diversos projetos nos quais estou envolvido. Se você conseguir interessar a Magnífico Reitor será bom que me envie uma carta, redigida em inglês de preferência, que eu possa apresentar na Nigéria. Uma simples declaração de princípio, sobre o interesse da Universidade da Bahia pelas expressões da cultura iorubá, que são mantidas no Brasil e, do desejo de estabelecer relações interculturais entre as duas Universidades seria um documento suficiente para abrir o diálogo necessário para a realização de nossos projetos.*
>
> *Logo que cheguei a Paris, revelei as fotos que você me pediu e fiz o orçamento para fazer as matrizes dos discos "candomblé" e, "Sobreviventes do Pataxó Aliança".*
>
> *Amanhã o navio tocará Dacar, mas, que pena, eu não desembarcarei; pena porque não tenho nenhum desejo de ir à Europa. Ah, as horríveis faces pálidas, enfadadas, inodoras, sem sabor que me cercam no barco, ah!! Sr., te deixo com um saudoso abraço.*

OS CÂNTICOS QUE ENCANTARAM *Pierre Verger*

P.S: Agradeço aos diversos colaboradores da Escola de Teatro e anexos do serviço de documentação pelo devotamento mostrado na realização desses registros.

Verger a Martin Gonçalves, 4 de maio de 1959, a bordo do navio Provence

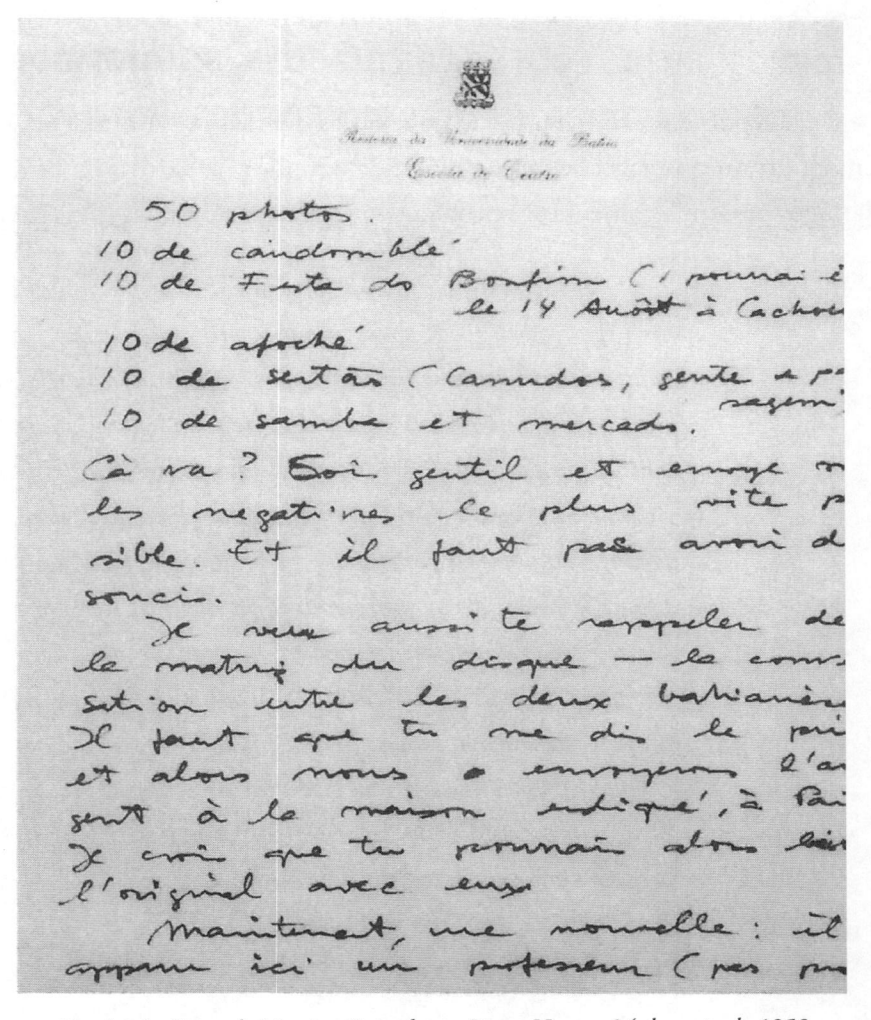

Trecho da Carta de Martim Gonçalves a Pierre Verger, 04 de maio de 1959

Casa de Oxumarê

Eu desejo assim te lembrar da matriz do disco - uma conversa entre dois baianos. É preciso me dizer o preço e então nós enviaremos o dinheiro à casa indicada em Paris. Creio que você poderia deixar o original com eles. Não esqueça o negativo e o assunto da matriz do disco. Me escreva e dê notícias.

**Martim Gonçalves a Pierre Verger,
7 de maio de 1959**

Depois das primeiras cartas com várias dúvidas, as informações tomam um rumo mais concreto e à medida em que projeto avança os dois amigos passam a comentar os problemas crescentes com mais frequência:

Eu te escrevo esta carta com pressa antes de me fechar nos arquivos, porque eu espero me precipitar lá e achar coisas muito interessantes sobre o assunto já comentado na Bahia. Eu pouso questão sobre as matrizes de prensagem dos discos; elas sairão por 60.000 francos mais ou menos por discos de 30cm de diâmetro e 45.000 francos por discos de 25cm. Estou trabalhando com meu amigo Rouget do Museu do Homem, que se encarregou voluntariamente de se ocupar da coisa e de te dar indicações sobre a casa que pode fazer o trabalho. Nós fizemos a cópia de "Toques de candomblé" e quinta-feira nós devemos fazer a montagem e cronometragem para saber se será somente um disco de 30 cm dupla face (o preço indicado é para os de dupla face), ou se for preciso, o que eu acredito, dois discos de 25cm, ou até dois de 30cm.

**Verger a Martim Gonçalves, de Paris,
3 de junho de 1959**

OS CÂNTICOS QUE ENCANTARAM *Pierre Verger*

Paris   3 juin 1959

Eros mon ami

    Bien reçu ta longue lettre du 7 mai. Je m'excuse d'avoir tant tardé à y répondre, mais j'ai été pris par des tas de choses à faire. Je t'écris ce mot en vitesse avant d'aller m'enfermer aux archives, car je me suis bien entendu précipité là-bas, et je trouve des choses très intéressantes sur le sujet déjà commencé à Bahia.

    J'ai posé la question pour les matrices de pressage des disques; cela ressortirait à 60.000 francs plus ou moins pour des disques de 30 cm. de diamètre, et 45.000 francs pour des disques de 25 cm.

    Je travaille avec mon ami Rouget du Musée de l'Homme qui se chargerait bien volontiers de s'occuper de la chose ou de te donner les indications au sujet de la maison qui pourrait faire le travail. Nous avons fait la copie du "Toque de Candomblé", et jeudi je dois aller en faire le montage et le chronométrer pour savoir s'il tiendra sur un seul disque 30 cm. double face (les prix indiqués sont pour des double faces), ou bien s'il faudra, ce que je crois, deux disques 25 cm., ou même deux 30 cm.. Aussitôt que je le saurai, je te le ferai savoir. Je dois faire le même travail pour le disque des deux vieilles dames de Lagos. Je pense que cela fera une face d'un disque de 30 cm. Pour l'autre face il serait possible de mettre des chants en brésilien qui ont été enregistrés là-bas par quelqu'un que je connais et qui me les passerait sans doute bien volontiers.

    Je n'ai pas encore eu le temps de voir Maria Helena et Arpad, mais je pense y aller ces jours ci, d'autant plus que voulant joindre l'utile à l'agréable, j'ai l'intention de leur demander de me laisser les photographier pour la prestigieuse revue "O CRUZEIRO". Je pense faire quelques autres auprès de Bandeira, de Cicero Dias, Monteiro et autres artistes du Brésil; je tenterai de faire si je suis très courageux quelque chose sur Auguste Comte, Santos Dumont et autres grands personnages en relation avec o Brasil.

    Merci pour les 50.000, bravo pour l'IBEC. J'espère que la petite de Tim s'accoutume à la boa terra et à tous ses charmes.. et chats.

    Je t'écrirai dans quelques jours, salutations cordiales aux ada
                           bien à toi

Pierre Verger, c/o Musée de l'Homme, Paris, XVIème.

Carta de Pierre Verger a Eros

Casa de Oxumarê

Antes de deixar Paris fiz uma cópia do original de "Toques de candomblé", realizado graças à intervenção e apoio da Escola de Teatro. Com toda conta de tempo realizada, não há meios de fazer menos de seis faces de discos de longa duração de 30cm; isso faz três discos. Isso representa um orçamento muito apertado, porque minhas (lembranças?) são que as matrizes de cada disco valem dentro de 60.000 francos, o que daria junto 180.000 francos. No entanto, eu já havia preparado com o meu amigo Rouget a cópia para que ele pudesse se virar para realizar as outras de modo que nessa edição seja prevista uma faixa separada para cada Orixá, a fim de que o profano possa reconhecer seus possíveis erros. A qualidade do registro, sem ser sensacional, é, no entanto, suficiente para um documento desse gênero; as palavras são nítidas e os ritmos perceptíveis. Eu penso que se eu conseguir na Nigéria a tradução dos textos muito misteriosos que nossos amigos de diversos terreiros do boa terra cantam, com tanta convicção que as palavras ficam para eles frequentemente (senão completamente) incompreensíveis, e que nós obtivemos de Eunice Catunda a transcrição musical dos toques e cantos, a tudo isso somada as silhuetas mostrando a relação dos gestos (e seus simbolismos), feitos por seus dançarinos, em relação às palavras dos cantos, teremos feito um trabalho válido.

Pierre Verger a Martim Gonçalves,
22 de junho de 1959

OS CÂNTICOS QUE ENCANTARAM *Pierre Verger*

Ibadan   30 Août 1959

Mon cher ami et "musicólogo"

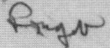

   Avant que je n'oublie,laissez moi vous dire que j'ai reçu de Bahia une lettre me demandant à qui il faut envoyer l'argent pour les trois disques dont le montage a été fait par nous au cours de mon passage à Paris,et ceci non sans discussions,si j'ai bon souvenir.J'écris que les fonds vous soient adressés.Si c'était à une entité quelquonque qu'il eut fallu le faire,soyez assez bon pour le faire savoir directement à l'envoyeur:"Martins Gonçalves.Director da Escola de Teatro. Universidade da Bahia.Bahia.Brésil".Vous pourriez lui envoyer un mot pour lui parler des détails de pressage auxquels vous aviez fait allusion à Paris:"Lieu du pressage et marque des machines employées". Merci d'avance.

   Que vous dirais-je,mon bon et excellent ami,sinon que ma vie s'organise sans heurts.J'ai loué un étage à Oshogbo dans un coin paisible, non loin d'un de mes maitres ès-Ifa.J'ai à mon exclusive disposition une vieille bagnole qui roule assez correctement,et je me suis remis au volant sans trop d'hésitations ni murmures.Je parcours donc les pays Yoruba,de l'argent plein mes poches pour acheter des objets anciens pour le Musée.Ce n'est pas embêtant autant que je me l'étais imaginé,et,comme rien ne m'est imposé comme itinéraire ni horaire, je peux aller là où m'appellent mes recherches personnelles.

   Je n'ai pas gardé l'ami Séraphin,malgré l'excellent riz qu'il concocte,et le dévouement dont il fait preuve,car son éloignement prolongé de sa famille le rendait par trop larmoyant.Je l'ai donc ramené à Lagos dernièrement et vais tenter de trouver en une seule personne,recrutée sur place,le concocteur de riz et l'interprète dont je ne puis hélas me passer.Car une fois épuisées les litanies des salutations,les tentatives de communications avec les Babalawos mes confrères se révèlent laborieuses.Les fonds mis à ma disposition ne me permettent pas d'avoir autour de moi une série de fonctionnaires spécialisés dans leurs activités.

   Voilà,mon cher ami et "musicílogo",mes problèmes présents,et la situation relativement heureuse qui m'est faite en ce beau pays Yoruba. Des nouvelles de vous me feraient plaisir,ne l'oubliez pas trop,et soyez assuré de ma fidèle amitié respectueuse.

Pierre Verger P.O.Box 9,Oshogbo,Nigeria

Carta de Pierre Verger a Gilbert Rouget

Casa de Oxumarê

A partir das várias indicações nessa correspondência, há margem de entendimento de que o projeto das gravações seria custeado, pelo menos parcialmente, pela Universidade. Entretanto, parece que a instituição não teve como assegurar o custo da produção, em cooperação com o Musée de L'Homme em Paris, impossibilitando, pois, a conclusão. Outro fator complicador para a não finalização do projeto pode ter sido a saída de Martim Gonçalves do cargo. Em uma carta de Verger ao seu amigo Rouget fica claro que a questão financeira da gravação, a princípio, estava em vias de ser resolvida.

> *De repente me interessei pelo outro disco sobre as duas velhas damas. Você poderia fazer a montagem de uma banda na Nigéria?*
> *Para o terceiro disco longa duração de 30cm de diâmetro é preciso que você me diga para quem devo enviar o dinheiro - para M. Rouget?*
> *Logo que você faça as traduções dos cantos enviados daqui, junte as transcrições musicais de Catunda.*
>
> *Martim Gonçalves a Pierre Verger,*
> *8 de julho de 1959*

A história de vida dos participantes

por Angela Lühning

Vários dos participantes da gravação ainda tiveram como falar sobre a experiência durante o processo de realização desta pesquisa, cada um eles ressaltando na sua fala aqueles aspectos que foram os mais importantes.

A lista dos participantes informada por Verger, e posteriormente confirmada pelos participantes ainda vivos no começo do projeto, é composta por: Paizinho (chefe), Januário Terenço Gomes (rum), Geraldo do Nascimento (rumpi), Evandro (lê), Erenilton Bispo dos Santos (agogô), Francisco Alves de Assis [Francisquinho] (cabaça) e Raymunda da Silva Vasconcellos (Miudinha), Edelzuita Silva (Filhinha), Nilzete Bispo dos Santos [deveria ser Nilzete Australciano da Encarnação], Leonor dos Santos e Angelina.

Portanto, temos entre as mulheres participantes três filhas de santo do primeiro barco de Mãe Simplícia, uma equede e a filha biológica mais velha da mãe de santo, ainda não iniciada. Já entre os alabês, dois são do tempo de Mãe Cotinha de Ewá, além disso, participa o filho mais velho de Mãe Simplícia, um filho de uma filha de santo de Mãe Cotinha e dois outros integrantes, dos quais não temos muitas informações.

Um terço deste grupo participou da pesquisa sobre as gravações e, com mais ou menos informações, contribuíram para o trabalho. Entre os homens, falamos com 3: com Seu Januário a partir do ano 2000, com

Casa de Oxumarê

Seu Geraldo em 2005, e com seu Erenilton várias vezes até a finalização da pesquisa; das mulheres, só pudemos falar com Dona Edelzuita, conhecida como Dona Filhinha. Além disso, falamos com outras pessoas da mesma geração para saber de possíveis lembranças daquele momento, mencionamos em especial Dona Estefânia (Sinhazinha, Gamo de Xangô), Dona Edelzuita de Omolu, Dona Kutu da Casa Branca, irmã de duas filhas de santo feitas por Dona Cotinha, e Dona Angelina, irmã de Seu Januário e Seu Paizinho, além de duas das filhas de Seu Paizinho, Dona Marina e Dona Edna. A base de informações, assim construída, nos permite apresentar os integrantes e a época de sua atuação com mais detalhes.

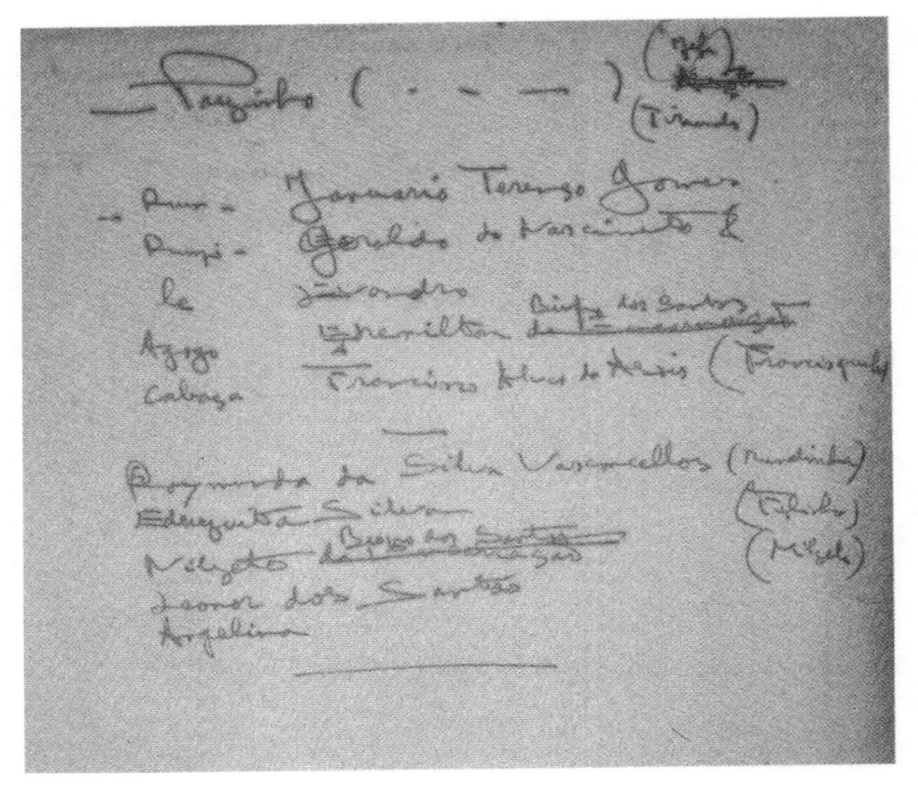

Lista de participantes da gravação, 1958

OS CÂNTICOS QUE ENCANTARAM *Pierre Verger*

Seu Paizinho, Lourenço Franklin Gomes, sem dúvida teve papel de destaque na gravação. Responsável por puxar as cantigas como solista, foi descrito pela compositora Eunice Katunda com as seguintes palavras:

Seu Paizinho no Afoxé Filhos de Ghandi, anos 1950

> Outro que muito ajudou foi um ogã filho de Oxóssi [...] para ele outro oriki, também Ketô, traduzido de texto anotado por Verger: 'Oxossi agbja fun oni ti o yá owe' que quer dizer: 'Oxossi se alia aqueles que possuem mãos rápidas'. As mãos rápidas são de Paizinho, um dos melhores

Angela Lühning e Silvanilton Encarnação da Mata

Casa de Oxumarê

alabês de Salvador. O nome de Paizinho é Lourenço Franklin Gomes. Nasceu ele a 8 de julho de 1918, na rua da Faísca, antiga Rua do Fôgo, filho de José Gomes e Gaudência Morais Gomes. Paizinho é ogã confirmado do candomblé Oxumarê, da finada Cotinha, onde toca rum, na qualidade de alabê. Também tem obrigações no "Engenho Velho" de Tia Macy e no candomblé de Menininha, o Gantois, além de tê-las no candomblé de Oxum, em Amaralina. É um dos mais conhecidos e acatados alabês em Salvador. Ganha a vida exercendo a profissão de pedreiro, sendo também muito cumpridor de seus deveres.[83]

Seu Paizinho era o filho mais velho de Seu Jacinto Gomes. Sua única irmã por parte de mãe e pai, Joana de Xangô, Obaladê, também fez santo no Oxumarê com Mãe Cotinha, mas mudou-se para o Rio, juntamente com outras pessoas da casa[84]. Há comentários de que, no final de sua vida, Seu Paizinho se afastou do terreiro devido a novos laços matrimoniais, diferente de seu irmão Januário que frequentou a casa até o final de sua vida. Seu Paizinho também era membro atuante nos Filhos de Gandhi, foi diretor musical, como pode ser conferido em uma das fotos de Pierre Verger. Ele faleceu no dia 4 de novembro de 2003.

Seu Januário, Januário Terêncio Gomes, nasceu em 10 de julho de 1926 na Vasco da Gama, e faleceu em 21 de março de 2006. Era o irmão mais novo de Seu Paizinho, filho de outro matrimônio de Seu Jacinto, que lhe deu vários irmãos. Seu Jacinto trabalhou durante muitos anos na construção civil, também em outros estados fora da Bahia.

---

[83] Eunice Katunda, em manuscrito não publicado, intitulado "Bahia dos 5 sentidos".
[84] Entre estas, citamos as irmãs de Ebogmi Kutu, Teodora e Nair; ambas filhas de santo da Casa de Oxumarê, iniciadas por Mãe Cotinha.

OS CÂNTICOS QUE ENCANTARAM *Pierre Verger*

Seu Januário, 2005

> *Naquela época era Patrimônio Histórico Artístico, mas eu trabalhei primeiramente na Norberto Odebrecht, depois na Construtora Nacional, depois na Construtora Brasil, e só depois que eu fui para o Patrimônio Histórico Artístico.*
>
> *Seu Januário*

Os dois irmãos também atuaram como músicos fora do âmbito religioso, mostrando outra face das possíveis interseções dos diversos mundos culturais, sociais e religiosos existentes na época:

Casa de Oxumarê

No que eu me lembro bem, por exemplo, Manuel Preto tocava pandeiro, era pandeirista. Eu, no caso, era baterista. No "Brazilian Boys" eu tocava bateria. Era "Belmiro", depois "Brazilian Boys". A bateria era do conjunto... Na Lucaia tinha um pai de santo que se chamava Álvaro, aí sempre ele dava uma missa de Santo Antônio, aí resultado, sempre em vez de ser toque de atabaque era orquestra, como em Oxumarê. Um dia quando o baterista saiu para passear no intervalo, eu fiquei no lugar dele. Aí pronto, toquei direto. Eu aprendi com meu irmão, o Paizinho [...] Era conjunto com saxofone, trompete, trombone de vara, era orquestra completa.

Seu Januário

O conjunto "Brazilian Boys" era uma das *jazz-bands* existentes nos anos 1940-1950. Neste conjunto Seu Januário tocava bateria, instrumento que também foi tocado por Seu Paizinho. As "*jazis*" (era assim que se pronunciava), como eram chamadas, eram orquestras com várias formações, em especial com instrumentos de sopro. Elas tocavam em festas, bailes, e ainda nas casas de candomblé após as festas religiosas da noite anterior, como se fosse a parte social e profana, bem como tocavam em aniversários de membros da casa, como nos de Seu Hilário e Mãe Simplícia.

Por outro lado, Seu Januário teve outra inclinação social e religiosa: ele foi membro atuante na Sociedade Protetora dos Desvalidos, junto com um colega de trabalho e irmão de fé, Seu Urbano, também ogã da casa. Além disso, se empenhava na Irmandade da Igreja Rosário dos Pretos, no Pelourinho, da qual chegou a ser o prior nos anos anteriores ao seu falecimento.

OS CÂNTICOS QUE ENCANTARAM *Pierre Verger*

Uma típica orquestra "Jazz", anos 1940

> Conjuntos, tinha também, que ali era ao vivo. Enquanto não tocava essa radiola como eu estou lhe falando, tinha essa orquestra que ia. Não sabe como é? Ao vivo. Os rapazes tudo assim bem [...] de camisa branca, assim bem coisa, calça preta, aquela... coisa assim, bem organizada, e... fazia aquela festa. Tinha bateria, tinha aqueles chocalhos... trompete, o prato, porque tinha que ter mesmo, aquelas coisa, se fosse bolero, se fosse mambo..., mas tocava samba [também].
>
> *Dona Marina*

"Jazz Jonas", orquestra com outra formação, anos 1940

Ambos eram ogãs do tempo de Mãe Cotinha de Ewá, com a qual tinham outro laço de aproximação. Como já dito o pai, Seu Jacinto, após matrimônios anteriores, tornou-se marido de Dona Cotinha, com a qual teve um filho, Alcênio, que morreu muito antes dos seus irmãos.

Seu Geraldo, Geraldo do Nascimento, nasceu em 24 de abril de 1934 e morreu em 25 de abril de 2005[85]. Ele também foi criado na região da Vasco da Gama, pois sua mãe, Marieta Preta, era filha de santo de Naná do Oxumarê, do tempo de Mãe Cotinha, e morava no Ponto da Mangueira, perto do terreiro. Geraldo frequentava muito a casa, embora nunca houvesse ocupado cargo. Mais tarde foi suspenso como ogã na

---

85 Antes de poder confirmar detalhes dos dados pessoais de Seu Geraldo, este acabou falecendo.

OS CÂNTICOS QUE ENCANTARAM *Pierre Verger*

Casa Branca, mas se confirmou anos depois no Gantois. Vinha de uma família dedicada ao culto aos Orixás: seus tios, da parte de mãe, eram Xavier e Luís da Muriçoca, conhecido pai de santo. Ambos eram sobrinhos do pai de santo Vidal, cujo terreiro funcionava no fim de linha do Engenho Velho de Brotas, e era filho espiritual do Ilê Axé Opo Afonjá[86].

Seu Geraldo, anos 1950

Seu Geraldo também foi descrito por Eunice Katunda no seu manuscrito inédito:

---

86 Informações prestadas por Mãe Kutu da Casa Branca.

Casa de Oxumarê

*Certo dia um ogã do Opô Afonjá me apresentou Geraldo, um jovem pertencente à casa de Oxumarê, da finada Cotinha. Geraldo respirava e vivia candomblé desde a infância. Todos os dias, durante quase um mês, Geraldo vinha trabalhar comigo. Seu trabalho consistia em cantar durante horas inteiras, as melodias com as quais eu já me vinha familiarizando naquela época de festas que é dos meses de janeiro e fevereiro. Para os toques, utilizava-se ele de um pequeno tambor semelhante ao Rumpi, que depois deixava comigo. E enquanto o sol e o calor imperavam lá fora, nós aqui dentro não tínhamos repouso, ele a cantar baixinho e eu debruçada sobre o meu caderno de música a escrever até que meus dedos doessem. A dentadura larga e forte iluminava o rosto negro de Geraldo em um sorriso ao anotar tudo rapidamente para logo depois repetir fielmente tudo o que ouvira. Sua admiração pelos garranchos incompreensíveis que me via traçar, só era comparável ao que eu mesma sentia verificando o conhecimento instintivo dele e o carinho que ele devotava a seus bem-amados Orixás. Para mim constituía o mais prezado dos elogios ouvi-lo dizer: "A senhora até parece que tem alma de alabê, de tanto que sabe os toques e as cantigas!" A Geraldo que tanto contribuiu para a transcrição das músicas deste livro, ofereço este oriki de Ogum que me ensinou o Fatumbi Verger e que ele dividira com o ogã filho de Ogum que nos apresentou: "***Ogum no gbɛ̀ fun mi ni ojeyí oxoro***", que quer dizer: é Ogum que me protege nos dias difíceis.*

OS CÂNTICOS QUE ENCANTARAM *Pierre Verger*

Seu Erenilton, Erenilton Bispo dos Santos, é o segundo filho homem mais velho de Mãe Simplícia, nascido em 31 de agosto de 1943, fruto da união com Seu Hilário. Foi um dos mais novos a participar da gravação. Por muitas das pessoas mais antigas da casa, ele foi apontado como um dos mais destacados aprendizes de Seu Paizinho, inclusive apreendendo o jeito deste de cantar. Ao ser mostrada a gravação aos membros da Casa de Oxumarê, em 2004, várias pessoas achavam espontaneamente que a voz de Seu Paizinho, que efetivamente estavam ouvindo, era a de Seu Erenilton. Seu Erenilton também trabalhou muito tempo na construção civil como mestre de obra e hoje se dedica, na maior parte de seu tempo, à organização do Afoxé Filhos do Korin Efan.

Seu Erenilton, 2005

Pelos relatos feitos por Seu Geraldo e Seu Erenilton, houve certa competição entre eles: ambos queriam aprender iorubá com Verger e visitavam-no com esta intenção, ao mesmo tempo em que ensinavam a Verger as letras das cantigas de candomblé. Cada um interpretava e pronunciava as cantigas diferente do outro, tomando para si a posição de melhor conhecedor, declarando que sabia mais ou era melhor do que o colega. Independentemente do resultado desta competição, ambos se destacaram pelo zelo do canto, sendo reconhecidos pela arte de cantar.

Dona Filhinha, Edelzuita da Silva Costa, nasceu em 16 de dezembro de 1928 na Avenida Artur Silva, situada entre o atual Vale do Ogunjá, na Vasco da Gama, e a Ladeira do Acupe, perto do terreiro. Ela fez santo em 1955 e foi do primeiro barco de iaô de Mãe Simplícia. A sua irmã, professora primária na região onde morava, no tempo vago costurava para Mãe Cotinha. Foi através deste laço que Dona Filhinha, como irmã mais nova, conheceu o terreiro. Ela trabalhou muitos anos como feirante autônoma, vendendo fato, atividade comum na época. Foi grande colaboradora da pesquisa, mas infelizmente faleceu em 14 de junho de 2009, antes da finalização da obra.

Dona Filhinha, em 2005

OS CÂNTICOS QUE ENCANTARAM *Pierre Verger*

Mãe Nilzete, Nilzete Austracliano da Encarnação, era a filha mais velha de Mãe Simplícia, nascida antes do casamento desta com Seu Hilário, em 28 de fevereiro de 1938, ainda na Fazenda Garcia, onde a família da mãe residia por um bom tempo, à Rua Prediliano Pita 112, e faleceu em 30 de março de 1990. Fez santo, em 1965, junto com o seu filho recém-nascido, pouco antes de sua mãe falecer.

Mãe Nilzete, 1958

Mãe Nilzete participou da gravação bem jovem, quando ainda não tinha feito santo, daí figurar com trajes cotidianos de uma jovem de 20 anos, fixados nas fotos de Verger, usando roupas semelhantes às cantoras da época, a exemplo de Angela Maria. Hoje é lembrada pelo desempenho das funções de líder religiosa, o que faz as pessoas estranharem as roupas comuns nas fotos de Verger. Mas, como diz Sandra Bispo "*o negócio de Mãe Nilzete era viver a vida, viver a juventude dela também*".

Raymunda da Silva Vasconcellos, Dona Miudinha, também era do primeiro barco de Mãe Simplícia, por isso deve ter sido chamada para participar da gravação. Igual às suas irmãs de barco, saíra da condição de iaô, obrigada a viver nos primeiros tempos após a feitura do santo na roça de candomblé, retomando aos poucos as suas atividades cotidianas.

Leonor de Oxumarê era também do primeiro barco de Mãe Simplícia. Já **Dona Angelina** foi uma das primeiras equedes de Mãe Simplícia, e era filha carnal de uma filha de santo de Mãe Cotinha, Aurora de Oxalá[87], mas não dispomos de maiores informações sobre ela.

Dos demais participantes, **Francisquinho e Evandro**, sabemos apenas os nomes, conforme a lista deixada por Pierre Verger. Segundo Dona Estefânia, o primeiro era ogã da Casa do Tumba Junçara, confirmado para o Orixá de Joana Volga, e morava no Engenho Velho de Brotas. Já o segundo era irmão de equede Angelina. Não tivemos outras pistas que ajudassem a descobrir parentes ou conhecidos que fornecessem informações, seja sobre a efetiva ligação com a Casa, seja sobre outras atividades exercidas fora do terreiro. Em compensação, outras pessoas completaram o contexto da época com informações significativas e em vários trechos das entrevistas aparecem dados importantes sobre aquele momento.

Nas falas das filhas de santo da época, ficam evidentes o respeito à mãe de santo e a convivência com os moradores da região onde o terreiro

---

87 Informações prestadas por Dona Cotinha de Oxalá do Oxumarê.

está instalado. Várias delas são nascidas e criadas na vizinhança do terreiro, ou então passaram a morar ali durante o longo processo de iniciação, que ainda depois da feitura, exigia das pessoas que permanecessem no terreiro por um longo período.

Já os alabês e ogãs, em geral, começaram a morar no terreiro por um período considerável, pelo menos enquanto as respectivas estruturas familiares permitiam. Vários deles frequentaram escolas próximas ao terreiro na Vila América, fazendo com que os vínculos sociais se estendessem para além dos limites do terreiro e abrangessem uma região maior. Dona Filhinha e Seu Januário, por exemplo, estudaram em uma das duas pequenas escolas particulares na Vila América, uma vez que os únicos colégios públicos da grande região estavam localizados bem mais distantes: no Rio Vermelho, no Garcia e na Ladeira dos Galés (Brotas), todas funcionando até hoje: são as escolas Euricles de Mattos, Visconde São Lourenço (atual Edgar Santos) e Maria Quitéria.

É importante entender o contexto da região do terreiro, pois muitas das pessoas que participaram da gravação de Pierre Verger, em 1958, nasceram, se criaram e viveram neste ambiente da Estrada Dois de Julho/Vasco da Gama, desde o tempo do Bonde nº 15 por toda a vida. A história deste tempo inclui nomes de localidades como Mata Escura, Vila América, Ponto da Mangueira, Joaquim dos Couros, Avenida Artur Silva, Vale da Muriçoca, dentre outros. Alguns destes topônimos aparecem ainda em placas de logradouros atuais; outros são lembrados apenas pelos mais velhos, pois as características que lhes deram origem desapareceram devido ao processo acelerado de urbanização: o verde espesso, sempre mencionado relativo à Mata Escura, entre a Rua Ferreira Santos e o Vale da Muriçoca, deu lugar a muitas construções. A antiga parada do bonde, perto de uma grande mangueira, no Ponto da Mangueira, não apresenta mais nenhuma árvore por perto. Restaram somente o Vale da

Casa de Oxumarê

Muriçoca e a Vila América, local onde depois morou Pierre Verger e vários dos seus amigos, ligados ao Oxumarê.

Uma reportagem de 1937, da qual extraímos alguns trechos, descreve o caminho até o terreiro, observando as características que mais saltam aos olhos dos repórteres, perceptivelmente não familiarizados com o mundo que descrevem:

> ***Estado da Bahia****, continuando suas reportagens sobre bairros pobres da cidade de Salvador, realizou, ainda esta semana, uma visita à Vila América. Tomamos um bonde Rio Vermelho. A viagem prosseguiu sem incidentes até a Fonte Nova. Nada interessante. Da Fonte Nova começa a Estrada 2 de Julho que se estende até depois da Mata Escura. Quinhentos metros mais ou menos depois da Fonte Nova surge o Dique, o célebre Dique, onde as maiores e mais variadas lendas têm sido tecidas a seu respeito [...] Quando chove, a estrada que margeia e que é a que onde se assentam os trilhos dos bondes fica intransitável. Sem calçamento, forma-se uma lama escorregadia, accrescida de águas podres, que descem dos morros adjacentes. E mesmo em dias de sol, o Dique só pode ser admirado do alto dos bondes, pois o barro da estrada não convida em nada a uma descida de carro pelo risco de sujar as calças. Limitamo-nos por isso a olhar de passagem o majestoso Dique, onde centenas de mulheres aproveitam-se das suas águas, para lavar as roupas da população desta capital [...]*
>
> ***NA MATA ESCURA***
> *Passamos o Dique, entramos agora parece exaggero em plena*

floresta. Montes dos dois lados cobertos de espessa folhagem que torna escuro o trecho da estrada, por onde vamos passando. É a Mata Escura. Perto do leito da linha uma ou outra casa. Pensa-se que ali não habita ninguém. Ao contrário. Dentro daqueles mattagaes mora nada menos que um terço de nossa população, E é ainda debaixo daqueles mattagaes que se accommodam numerosos e variados caminhos feitos pelos seus moradores e que se communicam com os demais bairros da capital.

VILA AMERICA - BAIRRO PROLETÁRIO ESCONDIDO DOS BURGUESES

Após uns vinte ou trinta minutos de viagem saltamos. A esquerda entrada mais estreita que larga dá acesso a uma ladeira comprida e tortuosa. Casas esparsas de um lado e outro Villa América. As margens da ladeira encontramos numerosos beccos e estreitas ruas que ostentam os mais estranhos nomes: "Avenida Sossego", "Grita Não Ouve", "Avenida Corrupio" etc. Calculadamente perto de 2000 casinholas ali estão situadas de baixo da folhagem[88].

Por ser uma região fora da área de interesse das pessoas que tinham acesso aos meios de comunicação ou à escrita de forma geral, existem poucas informações que pudessem completar os artigos de jornal transcritos. Mas, para nossa sorte, podemos contar com algumas descrições valiosas de visitantes da região, em geral em busca das casas de candomblé, ainda perseguidas pela sociedade soteropolitana, mas já apreciadas

---

88 Estado da Bahia, 26/7/1937 e 2/8/1937.

por pessoas de fora. Em 1944, durante a primeira visita do sociólogo francês Roger Bastide[89] a Salvador, foi feita uma descrição da região da Vasco da Gama, talvez com um tom demasiado idílico, mas contrastante das impressões muito pejorativas enunciadas pelos jornais em décadas anteriores. A citação do livro *Imagens do Nordeste Místico* expressa bem o deslumbramento do visitante nos primeiros dias de visita a Salvador e ao Nordeste[90], e dá uma ideia do clima das relações sociais em torno do mundo do candomblé naquela época, que deve ter se mantido ainda até a época da gravação em 1958.

> *Não conheço espetáculo mais encantador que o do candomblé preparando-se para a festa. Gostava de passear de um para outro, seguindo a avenida Vasco da Gama, que liga os terreiros por uma linha contínua de verdura. Poderia acreditar que me encontrava em plena África. Não passam de colmeias zunindo, cheias de gritos, risos, canções, movimento e vida. As filhas de santo dirigem-se, atarefadas, de uma casa para outra; algumas, de pernas nuas, lavavam no rio os tecidos sacramentais, com um ruído de água, salpicos de sabão e conversas infinitas; outras passam a ferro os xales, as túnicas, as grandes saias brancas enfeitadas de rendas; outras varrem o pátio, jogam para longe as folhas secas, os frutos caídos, enquanto salmodiam cânticos noturnos; outras*

---

89 Bastide tinha vindo como professor para a instalação da Universidade do Estado de São Paulo (UNESP), aproveitando não alguns poucos momentos de férias para viagens e primeiras pesquisas de Campo, sempre de curta duração. Um dos seus principais interlocutores no desenvolvimento destas pesquisas foi Pierre Verger, com o qual ele teve intensa troca de correspondência, de 1946, quando os dois se conheceram, até 1974, ano de morte de Bastide.
90 Lühning, Verger- Bastide, pp. 9-11.

adornam com amor o barracão com guirlandas de papal de todas as cores, segundo o rito a celebrar, pois o ornamento é sempre apropriado ao santo que se festeja e deve estar de acordo com ele. Pode-se, no entanto, parar durante o trabalho, dois dedos de prosa não fazem mal a ninguém...[91]

Chama atenção que naquela época o rio Lucaia, hoje em grande parte subterrâneo, ainda estava vivo e tinha água limpa, e suas margens serviam como importante espaço público de socialização. Isso parece algo inacreditável para as pessoas de hoje que julgam ser o leito do rio apenas um esgoto a céu aberto. Mas, além da descrição dada por Bastide, moradores antigos ainda completaram-na informando que até pescavam neste rio, tão largo que precisava ser atravessado com pontes. A ponte de concreto em frente à ladeira da Vila América até sobrevivia às épocas de chuva, enquanto aquelas de madeira constantemente tinham de ser refeitas, cada vez que a enxurrada das águas pluviais da estação chuvosa as destruíam.

Através destas várias descrições é perceptível que quase todos os sinais de uma natureza exuberante e espessa que existia há 100 ou ainda 60 anos, ao longo da Estrada Dois de Julho, na grande região entre o Dique e o Rio Vermelho, aos poucos foram substituídos pelas sempre mais largas pistas da atual Avenida Vasco da Gama, que foi ampliada algumas vezes. A primeira duplicação da pista ocorreu nos anos 70 do século XX, cerca de 100 anos depois da criação da Estrada Dois de Julho, seguida pelas ampliações laterais das duas pistas. Assim, a natureza foi substituída também pelas inúmeras oficinas mecânicas, pelo comércio de peças automotivas e por sempre mais habitações que nos registros

---

91 Roger Bastide, Imagens do Nordeste místico em branco e preto. Rio de Janeiro, "Seção de Livros" da Empresa Gráfica O Cruzeiro S.A., 1945, p. 77-80.

imobiliários de Salvador estão classificadas até hoje como "proletárias", mostrando as diferenças de conceitos e suas origens históricas em uma cidade marcada profundamente pelas diferenças e injustiças sociais.

Em quase todos os relatos dos participantes, contemporâneos ou familiares, surgem elementos que denotam a convivência de pessoas ligadas ao terreiro na região da Vila América, onde também Verger passa a residir, dois anos depois da gravação, em outubro de 1960, até o final da vida. Todas as pessoas ressaltaram que na Vila América havia além de escolas, mercados e armazéns, serviços e outras facilidades que denotam um modo de vida peculiar, hoje só lembrado pelos mais velhos, que exemplifica os hábitos da época. Este incluía a presença de depósitos de carvão, que atendiam a quem podia comprar este produto, pois, em sua maioria, os moradores mais humildes usaram, durante muito tempo, lenha como combustível para cozinhar alimentos. Na localidade, também estavam instaladas as bancas de fateiras e peixeiros, além de contar com a circulação do homem do sorvete, que antes da existência da geladeira e do freezer fazia sorvete de fruta em cubos através de complexos processos de refrigeração com barricas de madeira e caixas de metal e sal. Este último foi por muito tempo o elemento básico para conservar as carnes, antes da chegada da energia elétrica para alimentar as geladeiras.

Também são frequentes os relatos que enfatizam os laços com as demais casas de candomblé dos dois lados da Vasco da Gama, conforme evidenciado pelo relato de Roger Bastide. De um lado estavam a Casa Branca, o Bogum, as casas de Joana de Ogum e de Katita e, do outro lado da avenida, subindo a Ladeira da Vila América, as casas de Ciríaco, Camilo, Vidal, tio de Xavier e Luís da Muriçoca.

Neste sentido, vários dos alabês se aproximaram de outras casas por serem bastante requisitados para tocar nas festas de candomblé. Além disso, integraram agremiações carnavalescas, uma tradição até hoje mantida por Seu Erenilton, que foi um dos fundadores do Afoxé Filhos do Korin Efan, sucessor do Afoxé Korin Efan. Este afoxé, criado por Seu Cidinho e Seu Valter, remonta a uma tradição comum entre alabês, da qual vários dos ogãs da Casa de Oxumarê fizeram parte.

Ogãs da Casa de Oxumarê, anos 1970

O Afoxé Korin Efan, fui eu que fiz aquilo. Cidinho, tinha vontade de fazer esse afoxé e não conseguiu de jeito nenhum. Eu aí disse: "você quer fazer...? Aí fiz aqui... tudo à base do Oxumarê. Pois saiu daqui. E então para saber o que significa Korin e Efan? Korin significa... quando no candomblé fala "ALABÊ KORIN!". Sabe o que é? É "Alabê cante", entendeu? Então, pro cara que tá cantando, alabê. Então é isso. E Efan porque é a terra do efan. Então eu ajuntei,

Casa de Oxumarê

Korin, Efan. Viu! Tanto que tinha um grito lá... EMI que significa eu, ORUKORÉ, aí pergunto o nome, aí o pessoal responde KORIN EFAN BABA, afoxé pai[92].

Seu Erenilton

Eu que fiz... o logotipo que tem lá... Não tem um búzio com a âncora? Quem fez foi pra dar a Nilzete, porque ela queria ter aquilo e não tinha. Hoje vai dizer que foi esse menino que fez, mas, quem fez foi Valdemi, meu filho. Mandei ele desenhar porque Nilzete queria ter o logotipo do terreiro porque não tinha. Aí disse: "Valdemi... você desenha aqui... porque eu não sei desenhar, mas, você me faz uma âncora, me coloca uns búzios, dentro da âncora você bota a cobra, porque lá tem a cobra". Então: Iemanjá, porque era Nilzete, e a cobra porque pertence ao Oxumarê.

Walter Neves

A tradição de vínculos de ogãs e alabês com grupos carnavalescos é relatada desde o final do século XIX por vários autores que comentam a existência dos assim chamados clubes africanos, que suscitaram comentários de aprovação e reprovação nos jornais da época, dividindo a opinião da sociedade[93]. Na Casa de Oxumarê a tradição de participar de momentos festivos não religiosos foi iniciada por Seu Possidôneo, um

---

92 Seu Erenilton retomou este afoxé mais tarde com o nome Filhos do Korin Efan, grupo que sai até hoje no carnaval de Salvador.
93 Em Wlamyra Albuquerque, O jogo da dissimulação. Abolição e cidadania negra no Brasil. São Paulo, Companhia das Letras, 2010, encontra-se um capítulo extenso sobre a questão, p.195-240.

dos ogãs do tempo de Mãe Cotinha. Foi *assobá* da casa, e não alabê, e mesmo assim foi mencionado por vários dos senhores da geração seguinte como um dos mestres dos ofícios do alabê, como foi dito por Seu Cidinho, Seu Geraldo e outros. Seu Possidôneo era o responsável pelo Obá Otum, rival do Otum Obá, outro afoxé, comandado por João Batista, ogã da casa de Olga Kalossi. Esta última conta entre suas filhas de santo com Joana de Ogum e Katita, que abriram suas casas de candomblé na Vasco da Gama, vizinhas ao Oxumarê, seguindo a tradição ijexá. Seu Possidôneo era casado com uma filha de santo da casa, *Bababomim*, ainda da geração de Mãe Cotinha, ambos residentes na Ladeira do Corrimão, no Engenho de Brotas, perto da Usina do Dique[94]. Outros entrevistados o mencionam como marido de Marieta Branca, também filha de santo do Oxumarê com casa aberta no Engenho Velho de Brotas.

Apesar destas interferências no espaço físico da região, houve a permanência de outros valores na relação entre as casas dos dois lados do rio Lucaia. Neste sentido, vários alabês da Casa de Oxumarê dialogaram com outras casas, por serem bastante requisitados.

> *Possidôneo? Era o mestre! Não conheci, não, era o mestre dos mestres. Era mestre do meu tio, foi mestre do meu tio, foi meu mestre, Paizinho, Pai Preto, foi mestre de Francisquinho, era... eu sei que ele era pequenininho. Usava um chapéu... eu sei que era respeitado em todo candomblé que chegava. Gantois, Casa Branca, qualquer um que chegava, era bem respeitado em todo o lugar que chegava, "Oju assobá".*
>
> **Seu Geraldo**

---

[94] Informação prestada por Ebogmi Kutu da Casa Branca.

Estas visitas de alabês a outras casas e o respeito a eles eram comuns, constituindo a reputação do alabê que era versátil em mais de uma nação, podendo tocar em várias casas como convidado.

> *Naquele tempo... o cara era completo. Tocava ketu, angola, Jeje... hoje em dia a maior parte não sabe mais. Hoje o Jeje só tem lá no Engelho Velho..., mas eles todos faziam festa aqui, iam daqui pra lá também... Ninguém brigava com ninguém...*
>
> *Seu Geraldo*

> *[Na casa de] Neive Branca que ele gostava muito de fazer candomblé. Lá no Bate Folha, era Paulo do Bronco... finado Paulo; Obatossi ali no Engenho Velho [de Brotas], que era a finada Baiana...*
>
> *Dona Marina, sobre seu pai, Seu Paizinho*

Os participantes no contexto social da época

Esta publicação é a oportunidade de traçar um perfil do cotidiano da vida pessoal e profissional dos participantes da gravação, além de sua atuação religiosa no candomblé. As atividades profissionais exercidas pelos homens, no geral, estavam relacionadas a área da construção civil. Isso se aplica a Seu Paizinho e Seu Januário e outros ogãs como Seu Urbano, exímios representantes do ofício de pedreiro. As filhas de Paizinho lembram que o pai foi o mestre de obra responsável pela construção da clínica COT no Canela e pela casa de Jorge Amado no Rio Vermelho:

OS CÂNTICOS QUE ENCANTARAM *Pierre Verger*

A casa de Jorge Amado foi ele quem fez. A casa que é toda de pedra. Eu entrei naquela casa antes de Jorge Amado porque meu pai trabalhava lá, aí... aí eu ia lá com meu pai. A casa de pedras. Foi feita por meu pai.

Dana Marina

O COT do Canela, foi ele quem fez, o desenho ali foi dele. Porque só tinha o nome do engenheiro para [assinar]..., por causa da fiscalização, mas, tudo ali foi ele.

Dona Edna

Seu Januário e Seu Urbano tiveram vínculos empregatícios com grandes construtoras como a Odebrecht e a Construtora Nacional no Rio de Janeiro. Ambos trabalharam depois, por vários anos, no Instituto do Patrimônio Artístico e Cultural - IPAC - em Salvador. Outros ogãs e alabês trabalhavam em profissões autônomas como sapateiro, a exemplo de Seu Geraldo, e como pescadores ou feirantes, que comercializam principalmente peixe ou carne. Outros, como os tios de Geraldo, ambos com presença constante no terreiro do Oxumarê, trabalhavam na área de transportes. Luís da Muriçoca e seu irmão Xavier eram, respectivamente, condutor (chamado popularmente de "motorneiro") e cobrador de bonde, lembrados por muitos até hoje, sobretudo porque Seu Xavier cantava muito enquanto trabalhava no bonde. Já seu Jacinto, pai dos dois alabês, foi estivador e trabalhou em navios, segundo informações de suas duas netas.

As mulheres, desde pequenas, auxiliavam em serviços domésticos, ajudando as mães que eram vendedoras livres de acarajé, cuscuz e fato, e, frequentemente, seguiam nesta atividade. Portanto, as filhas ajudaram a ralar feijão na pedra, para fazer a massa do acarajé, além da tarefa diária de carregar água das fontes e dos chafarizes para casa e de lavar roupa no Dique do Tororó. Aliás, em toda região da Vasco da Gama, a água encanada só chegou após a década de 60.

Outras filhas de santo trabalhavam no setor de serviços, como domésticas ou camareiras. Algumas se empregaram em pequenas fábricas, não muito distantes de suas moradias, inseridas em bairros que eram tanto residenciais quanto comerciais. Deste modo, pequenos negócios familiares em bairros como Garcia, Barris, Djalma Dutra e outros, se transformaram em pequenas fábricas que produziam sapatos, pão e até embalagens, entre outros produtos. Muitas empregavam jovens com menos de 18 anos de idade. Nestes casos, os responsáveis recebiam o pagamento ou, então, os documentos dos jovens eram alterados, passando a constar maior idade. Tais fatos foram relatados por várias entrevistadas durante a nossa pesquisa. Por outro lado, quando elas faziam santo, adequavam a rotina de trabalho aos preceitos do candomblé, sobretudo quanto ao respeito às tradições de vestimenta. Depois de iniciadas, as iaôs que trabalhavam como vendedoras autônomas, tinham que "vender de saia", quer dizer, tinham que estar devidamente trajadas com a roupa completa de candomblé enquanto vendiam no tabuleiro, como foi ressaltado por Dona Filhinha.

> *Minha mãe seguia o mesmo caminho... Eu não suporto saia..., mas, quando eu fui trabalhar, foi de saia. Um ano de saia. É mole?! Trabalhar de saia? Aquele torso que era um ojá não. Aquele torso botava assim bonito, entendeu? Puxava aqui... como o dos Gandhis... Quem ensinou o Gandhi a botar aquele torso foi Dona Simplícia. Entendeu?*

OS CÂNTICOS QUE ENCANTARAM *Pierre Verger*

A gente aí aprendeu a ... coisar, aqui oh! Amarrou e ia trabalhar. Quem quisesse, que tirasse! Um ano! Quando chegou um ano... ela deu o direito de vestir vestido... que!!! É... já pensou? Trabalhar de saia? [...] Sim, conseguia ganhar dinheiro vendendo fato. Ganhava! Ganhava muito! Fiz casa! Fiz três casas.

Dona Filhinha

Lavadeiras no Dique, anos 1950

Casa de Oxumarê

Em todos os relatos constam informações sobre importantes redes sociais e econômicas: desde antes, e ainda nos anos 50, há fortes indícios de uma vida comunitária que contava com todos os elementos para o abastecimento das necessidades básicas. Uma situação que após o advento de redes de supermercados, congelados e alimentos industrializados, foi se transformando.

Na extensa vizinhança da região da Vasco da Gama moravam pessoas que criavam gado e galinhas, vendiam leite e ovos, além de frutas e hortaliças de toda espécie às pessoas da região, que compravam os produtos básicos nestes lugares, sem precisarem ir à feira todos os dias. Em toda região ao largo do rio, até na região do Dique, existiam hortas e plantações de cunho doméstico e de subsistência.

> *Na horta plantava legumes, tomate, cebola, tinha alface, agrião...*
>
> **Dona Estefânia**

Além disso, o Dique do Tororó nos anos 40 e ainda 50 é lembrado pela extensão enorme, exigindo a travessia por meio de barqueiros entre o Engenho Velho de Brotas e o Tororó, ou por uma enorme ponte perto da Fazenda Garcia e a atual entrada para a região da Estação da Lapa.

> *Tinha ponte... no Dique, era uma ponte enorme em cima do Dique, passava aquela ponte enorme que ia sair lá nos Barris. A gente pegava a ponte aqui desse lado, onde tem agora esse desvio que vai o carro do Mirantes [de Periperi] ... aquela ponte fazia medo. A gente ficava com medo, quem não tinha coragem, não passava. A ponte alta... a gente só via a água lá embaixo. Tinha de segurar assim naqueles*

OS CÂNTICOS QUE ENCANTARAM *Pierre Verger*

corrimão de ferro. Aí a gente ia andando. Eu tinha um medo de passar, ia só com uma pessoa me segurando.

Dona Estefânia

Barcos na travessia do Dique, anos 1940-1950

O Dique, lagoa de formação natural, também é lembrada pela abundância de peixes e camarões pescados com frequência, enquanto as mulheres lavavam roupas e levavam os filhos para ali mesmo preparar a comida e passar o dia. A pesca também existia ao longo do antigo rio Lucaia, na Vasco da Gama. Ainda existiam áreas de mato, com plantas medicinais e árvores frutíferas nos grandes quintais ou nas chácaras, hoje todos tomados por construções que alojam não somente as famílias de filhos e netos, mas também são alugadas como forma de renda. O que mais surpreende as pessoas ao ouvirem os mais velhos falarem sobre as suas vivências na infância são os relatos sobre as inúmeras hortas com plantações de flores, algo comum e costumeiro na época, para as famílias enfeitarem as suas casas, não somente em dias de festa:

> *Hoje tá diferente. Hoje você chega numa floricultura... e antigamente era ali. Você chegava... ali no Ogunjá mesmo, você vê, ali era um lamaçal. Mas era horta pra você escolher. E a gente ia em Seu finado Alisteu, era ali mesmo na Vasco. Aí quando dizia "vá ali, comprar tanto de flor". Menina, a gente vinha com aquele buquê que não aguentava, que ele botava o que: margarida, sorriso de maria, branca de neve, que é uma rosa linda, angélica... de tudo. Era com a tesoura... tuco, tuco, tuco..., mas menina, quando ele arrumava... aí arrumava aquilo tudo, amarrava... e a gente vinha com aquele buquê...*
>
> **Dona Marina**

Hoje flores são consideradas um artigo de luxo para poucos, mesmo que tenham feito parte da vida das pessoas ainda poucas décadas atrás, quando existiam flores perto delas. Mas as plantações de flores foram extintas pelo próprio homem que preferiu o concreto ao verde, uma vez que as construções estão sendo vistas como sinônimo de progresso, e as flores e plantas de mato como sinônimo da natureza não domesticada pelo homem, assim, para muitos sem utilidade concreta.

Mas "*não era tudo flor que se cheirava*" naquela época, pois também tinha menos facilidades que hoje em relação aos serviços básicos de infraestrutura: na primeira metade do século XX ainda não existia luz elétrica, água encanada ou um sistema de esgoto. Mas a região da Avenida Vasco Gama foi beneficiada pela proximidade com a Usina do Dique, construída em 1926 e inaugurada dois anos depois para produzir energia para a Companhia de transporte, a Companhia Linha Circular[95]. Desta maneira, durante os anos 50, a energia começou a ser disponibilizada para uso doméstico na região do terreiro. Entretanto, apenas duas décadas depois a água encanada chegou à região, por volta de 1970. Isso obrigava as pessoas a carregarem água proveniente das várias fontes da região, ladeira acima, em latas, muitas vezes tendo prejuízo, porque as latas com o precioso líquido podiam cair e derramar, o que significava mais esforço e até mais dinheiro gasto, quando a água era proveniente de uma fonte paga. Essa era a realidade cotidiana no terreiro e nas tantas ladeiras ao redor na região. No terreiro, cabia às iaôs e pessoas mais jovens carregar água pela íngreme escada de barro. Já em dias de chuva, a solução era

---

[95] A Usina do Dique teve sua inauguração oficial no dia 18 de janeiro de 1928. Às vésperas do evento, no dia 11 do mesmo mês, recebeu a visita do governador Góes Calmon, que foi registrada pelo *Diário de Notícias* no dia seguinte: "Hontem, á tarde, o senhor Góes Calmon, governador do Estado, acompanhado [...] dos directores da Companhia Linha Circular, esteve em visita a nova usina de energia electrica do Dique, que já começou a funccionar, fornecendo força para os serviços da referida empresa". Sete dias depois, no dia 18, a usina é inaugurada e o mesmo jornal faz um comentário que reflete bem a situação que a cidade vivia com relação ao fornecimento de energia: "Cidade que se ressente, de vez em quando, da falta de energia, essa instalação vem, portanto, a calhar, uma vez que se destina a suportar as possíveis crises das Bananeiras, evitando, assim, se reproduzam aquelas noites trevosas em que, não faz muito tempo, estivemos irremediavelmente mergulhados". Cid Teixeira, A história da eletricidade na Bahia. Salvador, EPP, 2005, p.127-133.

"*aparar a água das goteiras, para assim encher os tonéis. Só a água de beber tinha de ser buscada na fonte*", como disse Dona Cotinha de Oxalá. Enquanto isso, em outros lugares da região, homens e mulheres de todas as idades carregavam água como forma de ganhar o sustento. Trata-se das assim chamadas "aguadeiras". Em uma reportagem de 1937, sobre a Ladeira da Vila América, lemos:

> QUANDO CHOVE NINGUÉM PODE ANDAR
> - *Mais adeante encontramos subindo a ladeira da Villa América uma senhora dos seus sessenta annos, trazendo uma lata dagua na cabeça.*
> - *Eh velha - levando sua água, hein?! - Que jeito moço, se não temos água, nem esgoto nem luz. A nossa diversão é barro e ladeira. Ladeira damnada de se subir. Se meu marido fosse cabo eleitoral elle tinha de dar um jeito de arranjar com a prefeitura, entulhos para estes buracos e arrumar um bocado de pedras para escorregar menos. Porque, quando chove, ninguém pode andar. E sempre quem sae perdendo é a gente porque cae lata d'agua. E lá se vae nosso dinheiro. Três latas daguas por um tostão.*[96]

Para completar o quadro dos hábitos e das relações entre as pessoas, vale destacar também os costumes em relação às vestimentas, tão importantes no mundo do candomblé e tantas vezes documentado por Verger nas fotos da época dos anos 1940 e 1950. Ele também registrou as vestimentas no contexto profano, logo após a sua chegada à Bahia, mostrando

---

96 O artigo aqui citado faz parte de um conjunto de artigos sobre várias partes da cidade, dois deles sobre o Engenho Velho de Brotas, trazendo entrevistas com lavadeiras e moradores, Estado da Bahia, 1937.

a variedade de estampas e de modelos criados no diálogo entre as partes envolvidas, a costureira e a sua cliente.

Moda típica dos anos 1940-50, em Salvador.

Algumas pessoas ainda acrescentaram mais detalhes em relação às roupas de candomblé serem confeccionadas pelas mãos hábeis das costureiras e dos alfaiates, profissões importantes e valorizadas na época, bem como a dos sapateiros:

Casa de Oxumarê

Seu Jacinto não dava a outra pessoa a roupa dele pra costurar. Até para fazer uma bainha ele dizia "Oh, só quero, se for fulano!" porque ele costurava bem, sabe como é... quando era roupa mesmo, por exemplo, Ogum da finada Simplícia... aí, ele já comprava aqueles cortes de brim branca... que ele ia com aqueles paletó brilhando. Comprava uns cortes e dizia: "vá levar pra Jorge [o alfaiate], pra poder ir pro candomblé". Festa de Ogum, você sabe, todo mundo tinha que ir arrumado pra não ir com aquelas roupa repetida!

Ah, o sapato... mandava fazer. Tinha um sapateiro, já sabia fazer, ainda mais quando pra candomblé, já era aquele certo! Antigamente era assim: era preto e branco. Uma parte aqui preta, esse sola... aqui, branco, não sabe! E aqui preto e o engraxate para engraxar. Aquela coisa linda de noite.

Dona Marina, neta de Seu Jacinto

Fazem parte do contexto social também os momentos de descontração e lazer: além das já mencionadas orquestras, que tocavam em tantos momentos festivos, existiam muitas brincadeiras com brinquedos feitos à mão, agregando adultos e crianças. Nestes momentos também se serviam tradicionais doces feitos em casa, apreciados por todos, utilizando para a preparação matéria prima oriunda das hortas e matas:

Seu Agnelo [o dono da mercearia na Vila América], ele fazia um negócio de um fantoche de mão, fazia os personagens Milica e Zé Pretinho. A gente comprava o bilhete, era parece 500 réis, pra ver os boneco dançar. Aquele boneco de mão. Ficava por de trás, por baixo. Apresentava. Agora não sei quem era o autor dessa brincadeira. E foi assim, dia de domingo, feriado... Todo mundo disse: "vou ver Milica...", "Vamo ver Milica...!", "Vamo ver Zé Pretinho...!" Aí a gente ia pra ver pancada de bonecos. Eu não sei como eles faziam assim. Mas era a brincadeira que a gente dava era risada. Era a brincadeira da gente antigamente.

Tinha uma criatura que vendia cocada, Dona Emiliana, a gente comprava cocada de um tostão. Cocada à moda. Aquele tempo era bom. A moda é raspadura, não tinha coco não, era raspadura com gengibre, e fazia aquela massa ao ponto, aí botava assim numa tábua, e cortava aqueles pedaços né, cortava bem fininhos os pedaços... um tostão, dois... acho que era um tostão naquela época.

Dona Estefânia

Enquanto as mulheres ressaltam lembranças ligadas à esfera doméstica, incluindo brincadeiras e comidas, os homens não deixam de mencionar seu divertimento e paixão maior: o futebol. Seu Geraldo, por exemplo, foi assíduo jogador no campo atrás do terreiro do Ilê Oxumarê, conhecido e frequentado por pessoas de vários lugares da cidade[97].

---

97 Ver Geraldo Costa Leal, Perfis urbanos da Bahia - Os bondes, a demolição da Sé, o futebol e os galegos. Salvador, Editora Gráfica Santa Helena, 2002, p.37, com a descrição da região e do campo de futebol.

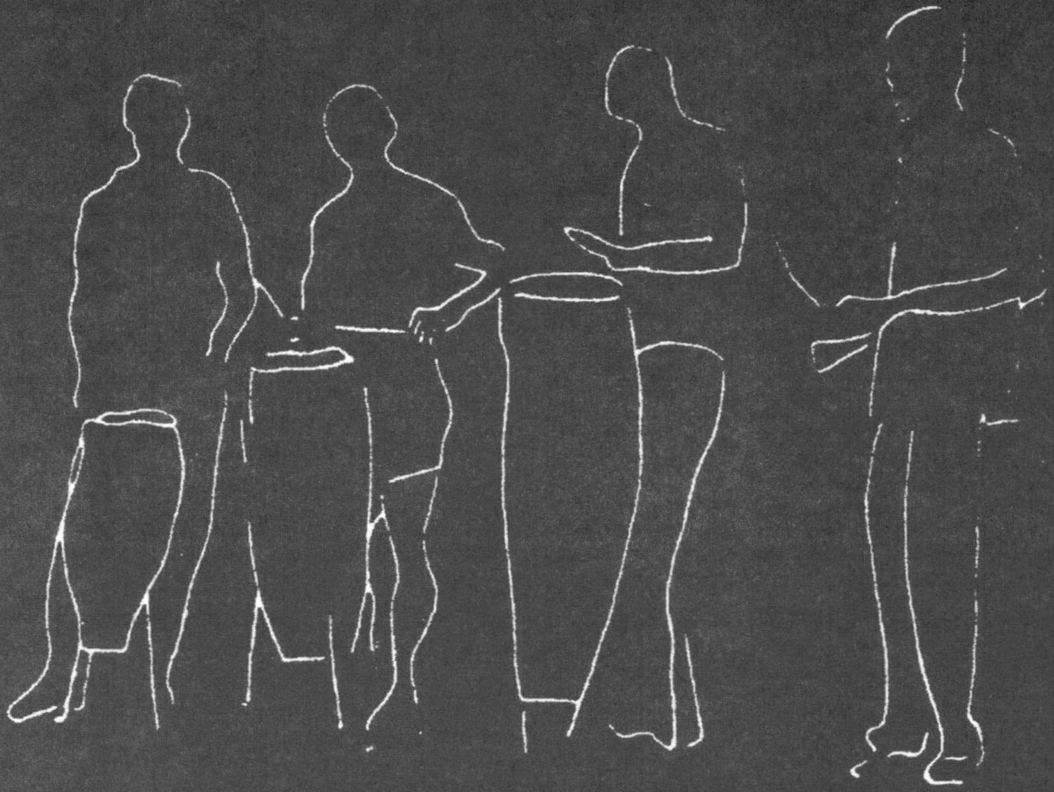

A música no candomblé

por Angela Lühning

A gravação de uma música, hoje, pode parecer algo quase comum, mas vendo a gravação aqui apresentada em seu contexto histórico e social surgem aspectos especiais a serem ressaltados: em primeiro lugar, não se trata de um estilo ou gênero de música popular, algo historicamente mais comum de ser gravado na trajetória da música brasileira, mas de música sacra do candomblé. E, além disso, no caso do candomblé, trata-se de um contexto sociocultural específico, no qual compete à música um lugar muito especial, devido à sua presença em quase todos os momentos rituais, conduzindo inteiramente as festas públicas.

Gravações de músicas de candomblé na época dos anos 1950 eram raras, mas existiam. Verger já conhecia a gravação feita por Simone Dreyfuss, em 1955, durante uma festa de Xangô no Ilê Axé Opo Afonjá, que foi incluída em um LP publicado pelo Musée de L'Homme. Pelo que nos consta, trata-se da única gravação deste universo publicada já na mesma época. Anteriormente, foram realizadas gravações por Melville Herskovits, que esteve na Bahia entre 1941 e 42, por cerca de 6 meses. Durante este tempo, teve contato com muitas casas de candomblé e gravou em um estúdio improvisado com alguns representantes destas casas. Porém, este material foi publicado de forma muito parcial apenas em décadas posteriores, e até hoje nunca foi publicado na íntegra. Mesmo assim, esta gravação tem importância particular para a Casa de Oxumarê:

como foi possível levantar nos materiais gravados, quem participou foi um dos ogãs mais antigos do Oxumarê, Seu Possidôneo, mencionado anteriormente como um dos grandes mestres das gerações de alabês mais novas. Portanto, levando em conta este quadro com gravações feitas, mas não publicadas ou circulando apenas fora do Brasil, parece que nos anos 50 ainda não existiam gravações que mostrassem, no Brasil, o universo musical do candomblé. Apesar de todas as tentativas de Verger, o seu projeto, realizado em parceria com Martim Gonçalves, da Escola de Teatro, não chegou a ser finalizado como ele tinha desejado, contribuindo para uma inserção maior deste universo sonoro na sociedade.

Agora podemos perguntar: se o contexto ritual foi tantas vezes assunto de interesse de pesquisadores, mas ao mesmo tempo foi perseguido pela polícia e rejeitado pela sociedade em geral, o que poderia justificar a atenção dispensada através da concepção de um disco e qual seria então o papel efetivo da música nos cultos religiosos do candomblé?

Para quem nunca presenciou uma cerimônia de candomblé, a primeira impressão, em geral, é muito impactante e desconcertante, pois uma festa pública de candomblé é muito diferente de outros rituais de religiões mais conhecidas. A maior surpresa certamente é perceber que a cerimônia é conduzida, do início ao final, por música e dança. É algo importante a ser ressaltado, sobretudo para quem ainda não presenciou uma destas cerimônias. Devido a sequência quase ininterrupta de cantigas que permeiam toda festa pública, muitas vezes fica difícil para um visitante não familiarizado entender a estrutura deste ritual ou as nuances dos cânticos entoados na língua iorubá, Jeje ou línguas bantus. Certamente, terá dificuldades, também, para diferenciar a sequência dos diferentes Orixás e as variações dos toques de atabaque que acompanham as cantigas, enquanto as filhas de santo dançam em roda em sentido anti-horário.

OS CÂNTICOS QUE ENCANTARAM *Pierre Verger*

O caráter da festa é de descontração e ao mesmo tempo carregado de expressões emocionais muito fortes, especialmente quando chega o momento em que são chamados os Orixás, que se manifestam nos seus respectivos filhos de santo. Todos estes momentos são acompanhados por gestos e movimentos específicos e procedimentos rituais preestabelecidos. Esta breve descrição visa oferecer elementos para entender a complexidade do ritual que segue critérios distintos dos cultos em igrejas cristãs, por exemplo, pois não existe uma predominância da palavra escrita. Deste modo, não há sermão, não há interpretações de textos sagrados, mas há a presença de entidades espirituais que entram em contato direto com os seus fiéis através do estado de santo ou transe. Todo o ritual é realizado em função do estabelecimento do contato com a esfera ancestral e esta comunicação ocorre principalmente através da música. O som dos atabaques predomina no barracão e pode ser ouvido à distância, devido a sua força sonora, como já vimos nas citações das reclamações sobre os candomblés nos primeiros capítulos.

A complexidade dos rituais do candomblé causa surpresa e incompreensão até hoje, mas também em épocas anteriores: seja nos momentos da perseguição, como vimos no início, seja na época da gravação, quando houve as primeiras visitas de pessoas externas ao candomblé. Podemos citar aqui a observação que Eunice Katunda fez durante uma de suas idas à Casa de Oxumarê, descrevendo um grupo de turistas que visitou o terreiro naquele período, final dos anos 50. O trecho citado a seguir deixa transparecer parte dos preceitos válidos ainda hoje no candomblé, que nem sempre são seguidos pelos visitantes menos familiarizados com a religião.

Casa de Oxumarê

Festa no barracão da Casa de Oxumarê, anos 1970-1980

PRECEITOS E AS TURISTAS IRREVERENTES

Fôramos convidados para uma grande festa de Ogum e como tal já havíamos tomado nosso lugar ao lado de outros visitantes pertencentes a outras Casas no posto de honra destinado aos convidados especiais, onde nos tratavam com toda a cortesia e distinção características das casas de candomblé de bons preceitos. De repente, entrou no recinto um conhecido pintor acompanhado de um grupo de jovens turistas recém-chegadas à Bahia. Elas jamais haviam assistido a uma festa de candomblé. Vinham curiosas e displicentes, despreocupadas com a solenidade e o ritual, só para ver. Chegaram muito esportivas, de calças compridas, roupas escuras, coisa que não se usa absolutamente em festas de obrigação, pois isto é considerado falta de respeito para com os Orixás. Nem perceberam a discreta reprovação dos que ali já se achavam, pois a gente do candomblé é muito digna para demonstrar qualquer censura às pessoas que estão recebendo como hóspedes. Se os hóspedes não sabem se comportar, pior para eles, pois dificilmente retornarão, desde que os da casa achem que seu regresso não é de agrado dos Orixás.

O bando de moças tomou seu lugar nas primeiras filas da assistência, onde ficou aos cochichos, aos risinhos, comentando as coisas entre si. Ao lado delas achava-se uma filha de Oxum, toda de branco, assistindo à festa que já começara. De repente, Ogum começou a dançar jogando a espada, e dirigindo-se para a porta do terreiro. Enquanto isso Omolu, também presente, começou a percorrer as primeiras filas dos convidados, aos quais começou a saudar com os gestos rituais. Ao chegar diante da filha de Oxum, esta imediatamente se ergueu e correspondeu à saudação. Prosseguindo, Omolu dirigiu-se ao grupo de moças, as quais permaneceram sentadas, com exceção de uma que, assustada, deu um gritinho de medo e, levantando-se, virou as costas ao Orixá imponente. Neste momento, tendo Ogum atingido a porta da casa, estrugiu a primeira da saudação. Mas o foguete que fora aceso a uns trinta ou quarenta metros de distância, subindo veio cair por cima da casa, reduzindo a farelos uma telha que se achava acima da cabeça da mocinha. E esta sofreu um verdadeiro apedrejamento de cacos de telha que se esfarinharam sobre ela, ao passo que a filha de Oxum que se achava ao lado dela, permanecia impassível, sem que nem sequer um farelo lhe viesse manchar a brancura do seu vestido. Quanta à jovenzinha, quase desfaleceu de susto. Daí a instantes, o grupo todo, já desinteressado, retirava-se coma havia chegado, descuidada e displicentemente. Quanta à filha de

Casa de Oxumarê

Oxum, que tudo assistiu, bem percebendo a zanga de Ogum, pelo desacato sofrido por Omolu em meio à sua festa, ouvia, sempre impassível, os comentários de alguns ebomins e ekédes agrupadas ali perto: "É... o Orixá logo deu castigo... Essa gente pensa que isso é brincadeira? Também, onde já se viu recusar saudação, e logo de um Orixá tão poderoso! Ogum não gostou, bem feito!".

Os instrumentos que acompanham, ou melhor, conduzem estes momentos densos da festa pública no barracão, são um trio de atabaques - o rum, rumpi e lê -, o agogô e, por vezes, o xequerê, além de outros instrumentos musicais mais eventuais em algum momento específico do ritual. Os cânticos são entoados de forma responsorial, alternando entre o solista e o "coro", composto pelas filhas de santo e o público. O solista é, em geral, um dos alabês, o músico chefe da percussão, o pai de santo ou outra pessoa que tenha a experiência reconhecida para assumir este importante papel. Mas, como vimos anteriormente, houve épocas em que os atabaques foram substituídos pelas cabaças, provavelmente por chamarem menos atenção e assim evitarem possíveis batidas policiais.

As cantigas entoadas no candomblé apresentam complexas estruturas que podem escapar a um ouvido desatento ou não familiarizado: em muitas, o coro repete a parte do solista, outras apresentam uma alternância entre partes diferentes entoadas pelo solista e pelo coro. Ainda outras são compostas por várias partes diferentes, organizadas em complexas sequências alternadas que exigem muita atenção da parte dos participantes, e várias cantigas se apresentam até em sequências ininterruptas. Especialmente quando há mudança no ritmo entre uma cantiga e a próxima, há frases rítmicas fixas tocadas pelos alabês que finalizam cada uma das cantigas. Os ritmos que acompanham estas cantigas variam conforme vários fatores relacionados com o Orixá, o andamento da cantiga, e até a sua função no contexto do ritual.

Em geral, as festas públicas são divididas em duas partes: na primeira louva-se cada um dos Orixás cultuados na nação daquela casa com um conjunto de cantigas. É o chamado xirê, que quer dizer festa. É seguido por um momento em que são chamados os Orixás através de um toque ou uma cantiga específica. Quando a força dos Orixás se manifesta nos iniciados (ou até em pessoas não iniciadas, presentes na festa), e estes entram em transe ou estado de santo, eles são reverenciados como incorporações daquele Orixá. Em seguida, se canta para os Orixás. Geralmente as pessoas manifestadas são vestidas com as roupas específicas de seu Orixá e voltam ao barracão em uma segunda parte da festa, em que cada Orixá é saudado com cantigas que representam uma ligação com o universo da ancestralidade africana.

O repertório musical gravado em 1958 representa em maior parte as cantigas da primeira parte da festa pública. Algumas das cantigas, de carga simbólica mais especial, aparecem na segunda parte da gravação, embora não tenha ocorrido a manifestação de nenhum Orixá durante a gravação. As pessoas fundamentais na condução deste ritual são os alabês, que estabelecem através dos toques o contato entre o mundo presente e o mundo espiritual, tornando-se os condutores das energias e do axé, ou, digamos, os mestres de cerimônia do ritual. Como diz Vivaldo da Costa Lima:

> Um bom alabê dá notoriedade e aumenta o prestígio do terreiro e são conhecidos e convidados pelas casas menores ou filiadas aos grandes terreiros. É o caso de Vadinho, alabê do Gantois e Paizinho, alabê do Oxumarê, que têm seu grupo, sua "bancada" afinada e sempre atenta à resposta, ou à

> *entrada da cantiga tirada pela mãe-de-santo de suas casas...*
> *...são muitos os grupos organizados de tocadores, que tocam, por convite, em terreiros conhecidos. Existe um grupo muito requisitado, liderado pelo alabê Paizinho, do candomblé do Oxumarê, que toca no Engenho Velho e em terreiros ligados a essas casas, grupo esse que tem um apelido de "Linha 15", devido ao número dos antigos bondes que passavam na Vila América, residência da maioria dos membros do grupo*[98].

Este trecho evidencia a estreita ligação do grupo de alabês da Casa de Oxumarê com a região onde moravam, foram criados e construíram suas famílias, assim integrando um contexto geográfico e cultural mais abrangente, conforme mencionado antes.

Cabe aos alabês e ogãs conduzir as danças dos Orixás já manifestados, evidenciando uma estreita relação entre a força do som percussivo e os movimentos característicos de cada Orixá, que expressam sua personalidade, lembrada em inúmeros mitos e histórias que são transmitidos oralmente. Mas, afinal, pode restar a dúvida: é o Orixá que conduz o som através da dança ou é o som dos instrumentos, que se propaga com a sua vibração pelo chão, que conduz a dança? Talvez uma pergunta sem resposta, pois trata-se de uma perfeita simbiose, na qual um não existe sem o outro, expressando uma inter-relação que vai além de uma lógica explicável.

Existe um repertório enorme de cantigas conhecidas em cada nação de candomblé e, de certa forma, cada casa constrói um modelo próprio de sequências de cânticos, influenciado pela trajetória ancestral e a descendência de outras casas, às quais rende respeito. O repertório passou, no decorrer do tempo, por certas modificações relativas ao modo de

---

98 Em Vivaldo da Costa Lima, A família de santo, pp. 97-98.

cantar e de se tocar, até porque houve modificações no processo de construção dos instrumentos, hoje muitas vezes feitos de outras madeiras e até em formatos diferentes.

Cipriano Bomfin, anos 1950

Eu iniciei a tocar na Casa Branca, com o finado Cipriano... E os tambores quem fazia era Cipriano, mas tinha também um senhor que fazia de coqueiro... E tinha um som muito bom mesmo... Com aquelas cordas passadas, atravessadas,

Casa de Oxumarê

porque tinha os de torno, o ketu né, agora eles usam de tarraxa. Na Casa Branca ainda é de torno. Também tinha o Ijexá, também tinha uns atabaques [ilú], deste tamanho assim, de corda atravessada. Há pouco tempo eu tinha um, somente toca quando sai um presente para Mãe d'água. Porque não pode levar atabaque grande. Tinha o ilú no Oxumarê, na Casa Branca... toca nos dois couros.

Eu comecei com o agogô, depois comecei a puxar com o rumpi, de vez em quando eu atrapalhava, porque na época eu tocava rumpi, mas com ouvido no rum, aí Cipriano me reclamava, aí depois que eu peguei pronto, fui-me embora...
...antigamente se levava tempo para aprender, prestando atenção, especialmente nos Orixás. Hoje parece que as pessoas querem se mostrar. Elas tocam muito rápido, "solam", e não olham para o Orixá. Mas o importante é o lento!

Seu Januário

O REPERTÓRIO DA GRAVAÇÃO

por Angela Lühning

A gravação feita em dezembro de 1958 foi incluída praticamente na íntegra nos áudios que compõem esta publicação. Por opção dos líderes da casa, só houve uma mínima interferência, reduzindo a roda de Xangô e excluindo uma das sequências para o Orixá Logunedé. Ainda assim, pelo fato de o repertório representar apenas o xirê e, na segunda parte, ainda uma sequência de cantigas para cada Orixá, não há nenhuma cantiga com algum tipo de restrição.

A sequência tradicional da casa, comum no xirê, a primeira parte da festa, mantida até hoje, segue com cânticos na seguinte ordem dos Orixás: Exu, Ogum, Oxossi, Omolu, Oxumarê, Logunedé, Oxum, Oba, Ewá, Naná, Iemanjá, Iansá e Xangô. Em seguida é entoada uma das cantigas para chamar os Orixás e, em seguida, uma outra para receber os Orixás manifestados no barracão. Na sequência há outras cantigas para Ogum, Omolu, Oxumarê, Xangô, Logunedé, Oxum, Naná, Oxóssi, Iemanjá, Iansá e para Oxalá (Oxalufá e Oxoguiã), para finalizar.

O repertório musical do candomblé sempre foi transmitido oralmente, mantendo durante muito tempo as línguas africanas, ainda faladas no dia a dia até o final do século XIX. Na medida em que os descendentes de africanos não tiveram mais a prática cotidiana e o uso das línguas africanas ficou restrito aos contextos rituais, os termos começaram a passar por processos de transformação, algo mais acentuado durante o

Casa de Oxumarê

século XX. Abrimos mão de uma tentativa de escrita completa em iorubá das cantigas pela distância de mais de 60 anos que separaram a edição da gravação do momento de sua captação. Mesmo que cada uma das cantigas tenha sido grafada por Verger mais próximo ao iorubá, com a intenção de uma posterior tradução, quando retornou - em 1959 - à África, levando na sua bagagem o material com esta finalidade, desistimos deste desafio. Para o presente projeto identificamos apenas a ordem dos Orixás aos quais são dirigidos os cânticos incluídos nos áudios que acompanham este livro. Além disso, foi incluída a notação de uma parte da letra de cada cantiga, usando para isso as partes do coro, mais presente na percepção auditiva, para assim facilitar a identificação pelo ouvinte.

Sobre o processo de identificação, é importante ressaltar que uma das primeiras ações, realizada ainda em 2005, foi a escuta coletiva dos cânticos gravados em 1958 em um encontro registrado em vídeo, que contou com a presença de três participantes da gravação original, além de suas irmãs de santo mais novas. Foi um momento emocionante, mas também carregado por várias lembranças soltas e desordenadas que ultrapassavam o contexto da gravação. Depois daquele primeiro encontro, o áudio foi apresentado ao quarto participante, em sua casa, pois estava em estágio avançado de doença grave. Posteriormente, as audições foram repetidas nos momentos das entrevistas. Em geral, as pessoas ficaram muito interessadas e até emocionadas em ouvir a gravação e queriam imediatamente cópias dela para mostrá-la aos seus familiares, amigos e colegas. Foi necessário ter bastante senso de diplomacia para pedir um pouco de paciência para que o projeto da gravação pudesse ser finalizado como previsto na sua atual apresentação.

OS CÂNTICOS QUE ENCANTARAM *Pierre Verger*

AS LETRAS DOS CÂNTICOS POR VERGER

No acervo da Fundação Pierre Verger se encontram anotações detalhadas sobre as cantigas. São 64 páginas com as anotações de quase todas as letras cantadas em iorubá, cuja grafia se aproxima, o mais possível, à ortografia iorubá, embora Verger não as tenha escrito em iorubá. Isso se deve à simples razão de que ele, apesar de já ter bastante conhecimento da língua em 1958, não era falante nativo dessa língua complexa, cujo aprendizado é difícil, por ser uma língua tonal. Ressalta-se que ainda não existe nenhuma norma de como escrever as letras destas cantigas de origem iorubá que chegaram no Brasil há muito tempo e nunca foram normatizadas na sua possível ortografia na língua portuguesa, por pertencerem ao âmbito da transmissão oral[99]. Além das anotações referentes às canções gravadas, existem ainda anotações de outras letras que igualmente fazem parte do repertório de cantigas presente no Ilê Oxumarê. Verger registra também que o projeto se dividia conceitualmente em 3 partes, e mantinha a ordem da sequência de cantigas entoadas durante uma festa pública: (1) salvando os Orixás; (2) chamando os Orixás; e (3) cantando para os Orixás presentes.

Embora não houvesse a intenção de chamar nenhum Orixá durante a gravação, foi incluída uma cantiga que poderia apressar este processo. Era uma cantiga que Verger apreciava muito. A inclusão da cantiga foi comentada por Dona Filhinha, não sem conter o riso e imitando a diferença na entonação dos acentos:

---

[99] Ver também as dificuldades de inteligibilidade das cantigas da parte de falantes nativos do iorubá e das resultantes limitações de tradução do iorubá para o português relatadas por Lisa Earl Castillo em Entre a oralidade, p.159.

Casa de Oxumarê

Ele fazia assim com a gente: "Paizinho, Paizinho... Paizinho! Coiá coiá...", que era Coia Coia, que ele gostava muito. Aí dizia que era Coiá Coiá. A gente dava risada. "Paizinho! Coiá Coiá".

Dona Filhinha

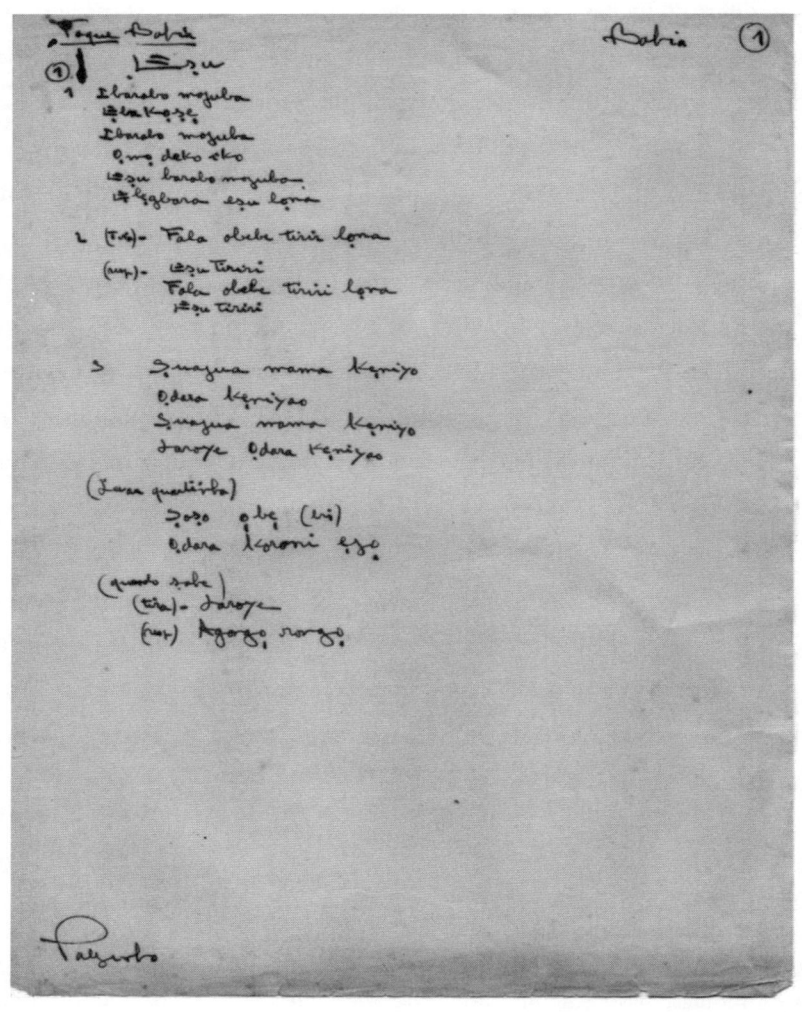

Anotação das letras de cantigas para Exu, 1958

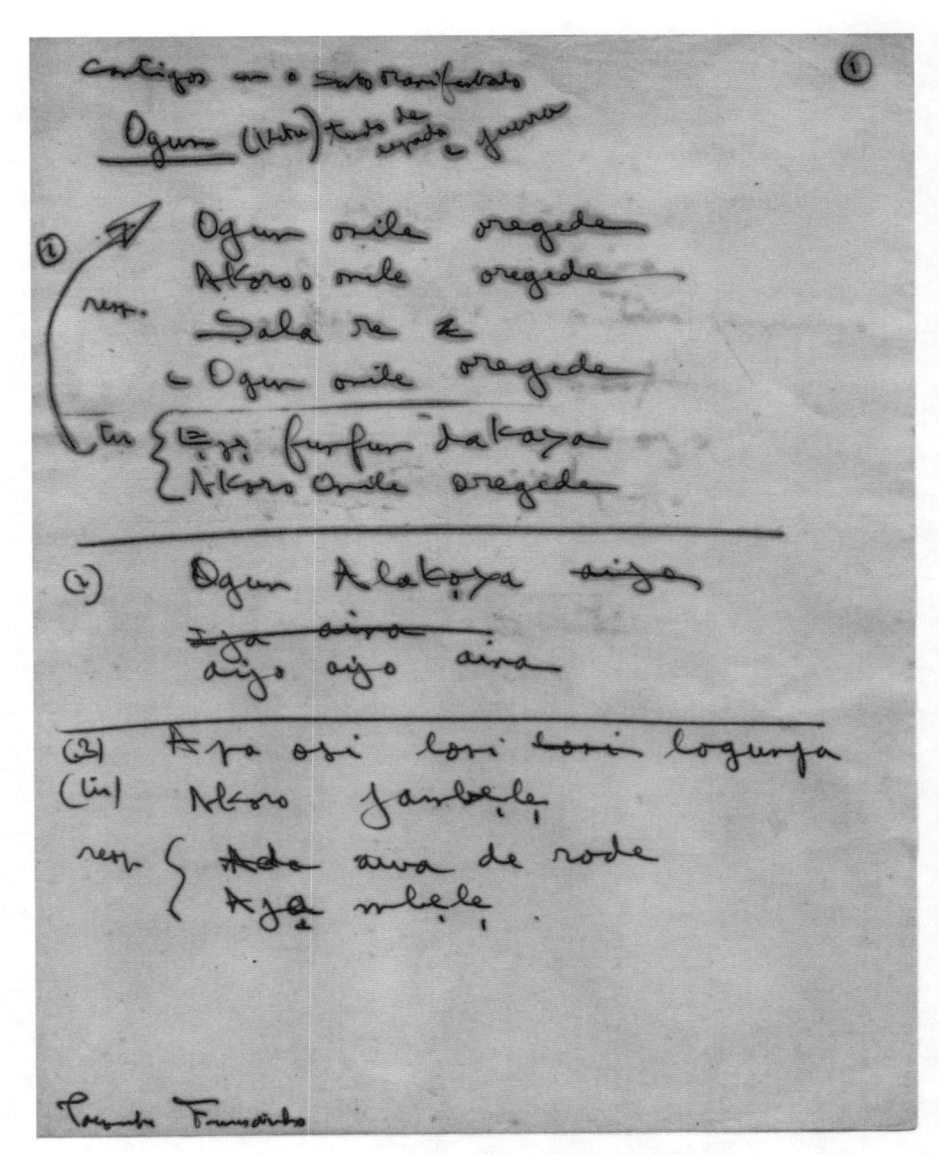

OS CÂNTICOS QUE ENCANTARAM *Pierre Verger*

Anotações de letras de cantigas para Ogum, 1958

Na imagem anterior há uma numeração para todas as cantigas: a mudança de um número para o próximo foi usada quando ocorre a finalização de uma cantiga, que coincide também com a mudança de faixa nos áudios da presente obra; em seguida, inicia-se a próxima cantiga, muitas vezes com outro acompanhamento rítmico, mesmo que sejam dedicadas ao mesmo Orixá. Porém, quando há sequências de cantigas que tradicionalmente são cantadas sem interrupções, o número permanece inalterado, indicando internamente apenas a mudança da letra de uma cantiga para a próxima. Na segunda parte dos áudios, há também toques especiais de alguns Orixás, tradicionalmente tocados sem acompanhamento por cânticos.

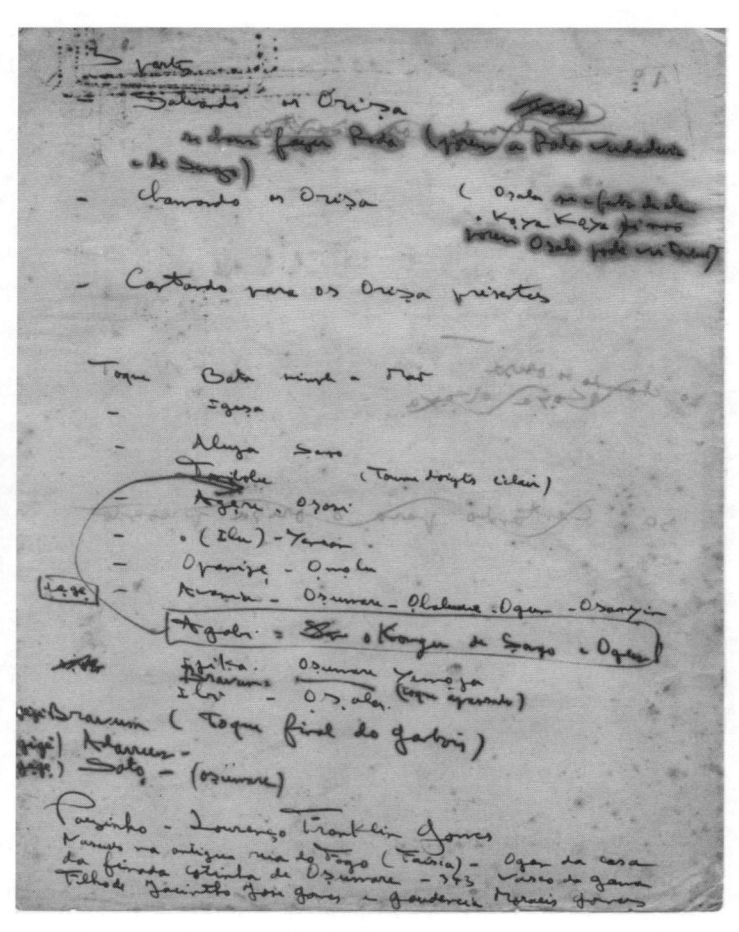

Anotações de Pierre Verger sobre o projeto da gravação, 1958

OS CÂNTICOS QUE ENCANTARAM *Pierre Verger*

Ouça os áudios gravados por Pierre Verger

A primeira edição do livro "Casa de Oxumarê", lançada em 2010 através da então existente "Lei de Incentivo à Cultura", do Ministério da Cultura, com patrocínio da Petrobrás, permitiu que os exemplares à época fossem acompanhados por dois CDs com os áudios das gravações feitas por Pierre Verger. Agora, 10 anos depois, e com o avanço das tecnologias móveis e do acesso à internet em todo o país, é com imensa honra que nós, da Editora Arole Cultural, disponibilizamos a você o acesso aos mesmos áudios, dessa vez em plataforma *online*.

A sequência dos áudios foi mantida da maneira original, sendo os 29 primeiros relativos ao xirê como entoado desde sua origem até os dias atuais na Casa de Oxumarê, e os 32 seguintes, cantigas especiais e toques específicos de cada Orixá. A relação a seguir apresenta a lista de faixas organizadas como na edição de 2010. Em seguida, você encontrará as instruções para acessá-los através do computador, tablet ou celular.

CD 1 - XIRÊ		
FAIXAS	ORIXÁ	DURAÇÃO
1-5	Exu	05:06
6-7	Ogum	03:12
8	Oxóssi	02:32
9-11	Omolu	04:15
12-14	Ossain	03:45
15-16	Oxumarê	03:05
17	Logunedé	03:24
18	Oxum	03:05
19	Obá	03:09
20	Iyewá	02:11

21-24	Naná	06:39
25-26	Iemanjá	04:54
27	Iansá	02:26
28	Roda de Xangô (parcial)	04:17
29	Cantiga de chamada	01:17
CD 2 - TOQUES ESPECÍFICOS		
1	Cantiga de entrada	00:43
2	Cantiga de entrada	01:25
3	Sequência de Ogum (ijexá)	01:54
4	Sequência de Oxóssi	04:11
5-7	Omolu	03:35
8	Opanijé	01:24
9-10	Oxumarê (Jeje)	04:26
11	Sequência de Xangô	03:15
12	Alujá	01:26
13	Oxum	02:45
14	Ijexá	01:09
15-18	Naná	03:20
19-21	Iemanjá	03:10
22-24	Iansá	04:33
25	Ilu	01:03
26-29	Oxalá (Oxalufã)	05:52
30-31	Oxalá (Oxoguiã)	02:50
32	Oxalá (cantiga de Maló)	01:06

O acesso aos áudios das gravações de Pierre Verger é feito através de uma área restrita no site da Editora Arole Cultural, pelo link

www.arolecultural.com.br/classroom

Para ouvi-los, antes é necessário fazer o seu cadastro e definir um login e senha de acesso. Durante o cadastro, além dos seus dados pessoais, você precisará informar o código de barras *que aparece na contracapa do livro* e o código promocional do quadro abaixo.

Caso você já possua outros livros da Editora Arole Cultural que dão acessos a cursos, palestras e demais conteúdos e já tiver feito o seu cadastro na Sala de Aula Online, no menu do site, depois de fazer o seu login, há uma opção chamada "Cadastrar Cupom Bônus". Nesse caso, é só clicar nele e cadastrar o código de barras e cupom abaixo. Lembre-se de digitar o cupom *exatamente* como aparece no quadro a seguir: 4 letras, hífen e a sequência de seis letras e números.

VERG-0B60A0

Faça seu cadastro agora mesmo e aproveite!

Em caso de dúvidas, é só enviar um e-mail para
falecom@arolecultural.com.br

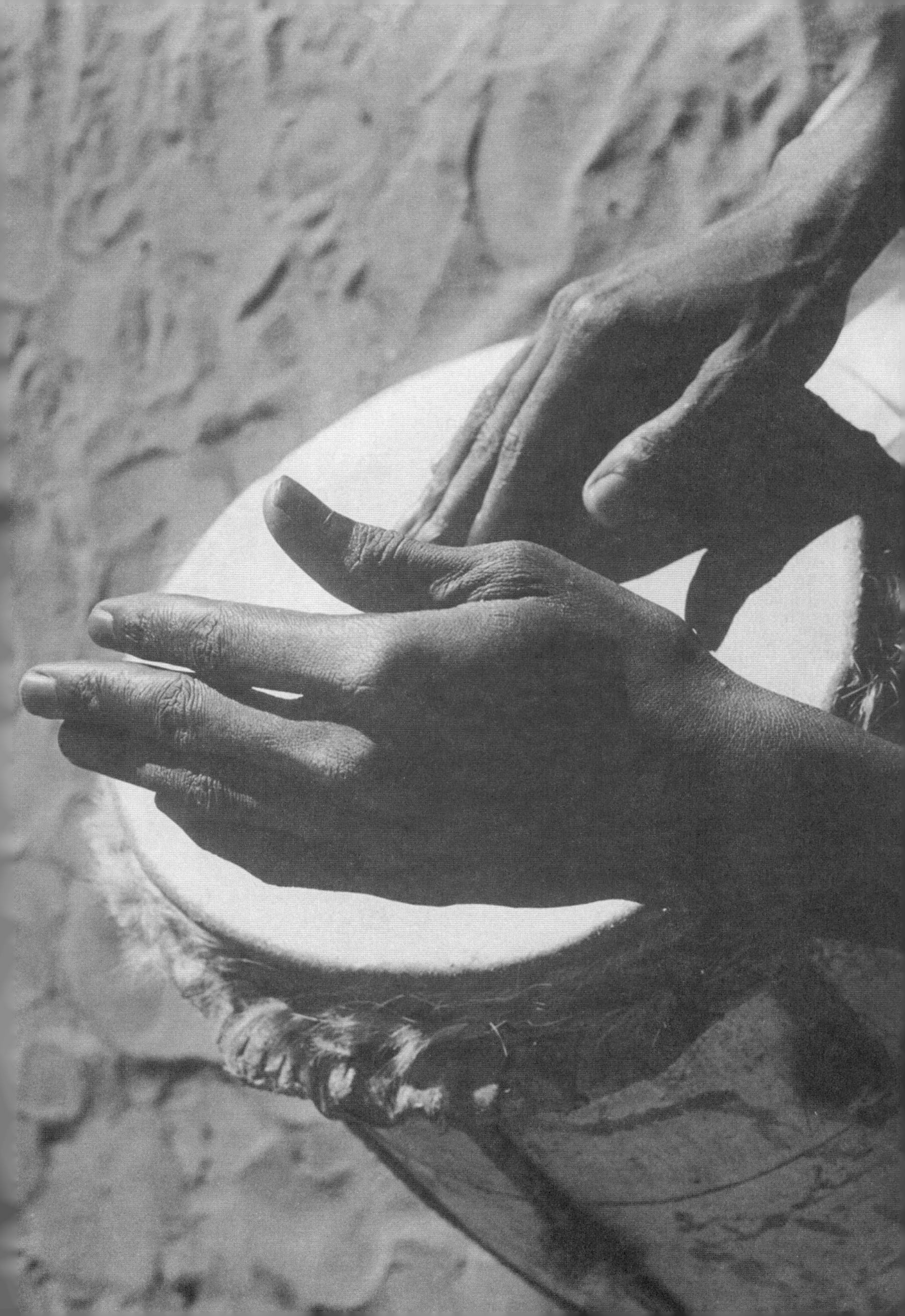

Epílogo

Construindo pontes para o futuro

Ao final deste percurso de leitura sobre a gravação realizada em 1958, esperamos que, ao leitor, esteja esclarecida pelo menos uma parte das histórias entrelaçadas pela Casa de Oxumarê e por Pierre Fatumbi Verger. O texto finaliza com a certeza de que este livro é o início e primeiro passo de um processo de pesquisa e estudo mais demorado sobre a Casa, sabendo que muitas informações ainda podem ser levantadas no futuro, Mas, isso só será possível na medida em que as pessoas se lançarem ao desafio de entender a história como um imenso quebra-cabeças, composto por peças de inúmeras memórias individuais e coletivas que somente vislumbradas em conjunto irão se completar. Assim, podem ser abertos novos caminhos para múltiplas interpretações sobre a história desta casa de candomblé que dialogou em tantos momentos com a sociedade soteropolitana e com pessoas como Pierre Verger. Também esperamos que as cantigas incluídas na gravação possam dizer tudo o que as palavras talvez não tenham conseguido expressar, portanto só nos resta passar a palavra aos alabês:

Alabê Korin
CANTE, ALABÊ!

Glossário

Adjá: idiofone, sino com badalo, fabricado em latão que produz um som metálico. É um instrumento de fundamento, guardado sobre o assentamento de Oxalá. "Var. aja, adijá, adixá. Yor[1].: àajà

Agogô: idiofone em formato de um sino duplo, fabricado em metal, que se percute com um pedaço de ferro, produzindo dois sons, um de cada campânula. Nos candomblés, acompanha os três tambores da orquestra cerimonial, servindo tanto para marcar o ritmo e sua mudança de acordo com o toque particular a cada nação, como para anunciar o início da cerimônia. "Kik./Kimb./Yor. agogo,"

Alabê (alagbê): termo utilizado para designar o chefe ou senhor das cabaças (dos tocadores de cabaça), o chefe dos tocadores de atabaque; é sempre o tocador do atabaque rum e ocupa o posto de ogã. "Var, alabá, ogã-de-alabê, ogã-de-coro, ogã-de-faca, ogã-ilu.[2] Yor: Alàgbé, tocador de tambor + ala -`bé(ké)".

Atabaque: tambor utilizado no candomblé em três diferentes tamanhos, do menor ao maior, mais agudo ao mais grave: lê, rumpi e rum (denominações de origem Jeje). O atabaque maior, o rum, é tocado pelo alabê, por ter mais experiência, tendo em vista que é o tambor que exige grande virtuosismo, muitas vezes sendo responsável por chamar os Orixás e/ou executar solos e complexes improvisações que acompanham as danças dos diferentes Orixás.

OS CÂNTICOS QUE ENCANTARAM *Pierre Verger*

Axé: força fundamental relacionada à natureza e, por conseguinte, aos Orixás. É também todo objeto sagrado da divindade ou alicerce "mágico" do terreiro. Encontra-se axé no sangue dos animais, nas plantas e na terra, que simboliza os ancestrais, Axé é o saber recebido dos ancestrais, ou seja, as experiências transmitidas pela tradição no candomblé; consequentemente, é também um sinônimo de tradição que pode ser transmitida a filhos e filhas-de-santo iniciados(as) na religião, e até mesmo a leigos. Através de diversos rituais, no candomblé, fortalece-se e renova-se o poder dos Orixás, que é então transmitido aos seres humanos; "Fon: asèn/Yor. àse." vide fundamento.

Babalaô: pai do segredo. O sacerdote no culto divinatório de Ifá. Yor. baba - pai. áwo: segredo.

Babalorixá: pai no culto aos Orixás, sacerdote, aquele que preside o culto e zela pelos Orixás. "Yor. Bàbálórìṣà."

Barco de Iaô: grupo de pessoas que são iniciadas juntas.

Candomblé: religião afro-brasileira ou de matriz africana que abrange diferentes nações teológicas, tais como, Jeje (tronco linguístico Fon que cultua os Voduns), nagô ou Ketu (tronco linguístico iorubá, que cultua os Orixás), Angola (tronco linguístico Banto, que cultua os Inquices) e Xambá (misto do tronco linguístico iorubá e Banto, que cultua os Orixás). E como é chamado o templo onde se cultuam os Orixás, inquices ou Voduns na Bahia. No Rio Grande do Sul é conhecido como Batuque, no Maranhão como Tambor de Mina, no Rio de Janeiro como Macumba e em Pernambuco como Xangô. A origem etimológica do termo é controversa.

Candomblé-de-Angola: culto referido a tradições centro-africanas, cuja língua litúrgica utiliza muitos termos do tronco linguístico Banto. Na Bahia é também popularmente chamado de candomblé-de-caboclo, onde o caboclo é cultuado como o "dono da terra", considerado pelos africanos de origem Banto, sobretudo, como ancestral primeiro a ser reverenciado junto aos seus inquices.

Dar santo ou estado de santo: estado em que o santo (o Orixá) se manifesta numa pessoa através do transe ou incorporação espiritual.

Egbom: vide filha de santa

Equede/ekede/ekedê: título nagô-Ketu atribuído a uma mulher que cumpriu o primeiro grau de iniciação religiosa (cujo santo foi assentado). É encarregada de zelar pelas divindades que se manifestam em seus iniciados durante as cerimônias rituais, embora ela própria não seja possuída pela divindade a que foi consagrada. "Yo. àkéàjìle, a segunda."

Fazer o santo / feitura: o mesmo que fazer a cabeça ou ori, ou seja, ser iniciada(o) nos segredos do culto aos Orixás, onde a cabeça (ori) é o centro de feitura de todos os rituais.

Filha(o) de santo: filha(o) no culto aos Orixás - filha(o) espiritual do sacerdote ou sacerdotisa que preside o culto. Expressão que compreende os dois termos em iorubá iaô (noviça(o), do "Yor. ìyàwó, esposa" pessoa recém iniciada), e egbon (filha(o) de santo com sete anos de iniciação, do "Yor. èghón mi, meu parente mais velho").

Fundamento: a base do conhecimento transmitido pelos ancestrais, tudo que diz respeito à força fundamental do saber e das ações, ao axé. Em geral, questões relativas ao fundamento são protegidas pelo tabu ou segredo, áwo.

Ialorixá: "mãe no culto aos Orixás": designação dada à mulher que preside o culto. O mesmo que mãe de santo. "Yor.: ìyálòrìsá – ìyá, mãe, òrísá, Orixá".

Iaô: vide filha(o) de santo.

Ijexá: termo que designa o ritmo específico de Oxum, que teve origem na cidade de Ijexá (Nigéria) onde surgiu o culto a Oxum e a nação iorubana cultuada na Bahia. "Yor. Ijesa".

Ilê: significa casa, terreiro. Muito utilizado nos nomes de terreiros famosos da Bahia como o próprio Ilê Oxumarê, Ilê Axé Opô Afonjá, Ilê Axé Opô Aganjú, Ilê Ìyá Nasso etc., "Yor.: ìlé." vide roça, terreiro.

Iniciação: vide fazer santo.

Iorubá: língua kwa, falada pelo povo de mesmo nome concentrado na Nigéria Ocidental e no reino de Ketu, no Benin. Também chamados de "anagot" ou "nagô". Yorùbá.

Jeje (ou gege na ortografia mais antiga): denominação dada, pelos iorubás, aos seus vizinhos, os ewe. No Brasil corresponde à designação genérica dos africanos de línguas ewe-fon, provenientes do reino do Daomé, no Benin. "Fon: gedeví/geví". Termo que designa as comunidades religiosas afro-brasileiras que cultuam os Voduns. De linguagem litúrgica de base predominantemente fon ou daomeana.

Nação: termo que designa grupo étnico-religioso que, no contexto da diáspora, passou a ser tomado muito mais no sentido teológico, das religiões afro-brasileiras. A distinção entre as diferentes nações ocorre, entre os vários procedimentos rituais específicos, através da língua litúrgica utilizada: iorubá, jeje, banto (angola).

Ogã: título nos terreiros da nação nagô-Ketu, dado aos homens que são escolhidos pelo Orixá. Desempenha papéis específicos, tais como, músico (tocador de agogô ou de atabaque), ogã de sala, responsável pela ordem do barracão, ou ogã do terreiro, com responsabilidades financeiras concernentes a um determinado Orixá, dentre outros. Pertencem a duas categorias: ogã suspenso (que ainda não realizou as obrigações religiosas de confirmação) ou confirmado (que já cumpriu as obrigações religiosas exigidas para o posto que lhe foi atribuído). "Fon: gan + Yor. `ga, chefe - Nagô-gan",

Orixá: designação genérica das divindades do panteão iorubá ou nagô-queto. "Yor.: òrísá". Diferentemente da tradição Congo-Angola, onde as divindades são chamadas de inquices e da tradição Jeje, que são chamadas de Voduns,

Oruncó: "festa do nome" no final do período de iniciação, na qual o Orixá manifestado dá a conhecer ao público o seu nome em iorubá, pela boca da pessoa iniciada.

Peji: altar sagrado do terreiro, que fica situado num quarto privado, onde ficam as pedras (otás), correspondentes aos Orixás nelas assentados, que recebem jarros com água, flores e comidas sagradas. "Fon: kpejí, sobre o altar".

Roça de candomblé: termo utilizado majoritariamente na Bahia para designar o terreiro de candomblé, ou seja, o lugar onde são realizados os cultos dedicados aos Orixás. A roça compreende o barracão e, quando existe, toda a extensão do terreno onde fica localizado o terreiro. Antigamente eram afastados dos centros urbanos, possuindo considerável extensão de terra. Com a urbanização, no entanto, muitos dos terreiros possuem somente o barracão onde são cultuados os Orixás, mas, o termo continua a ser utilizado também nestes casos. O mesmo que terreiro.

Suspender um ogã / ekede: momento em que uma pessoa é escolhida por um Orixá manifestado durante uma festa pública, para assumir o cargo de ogã/ekede, escolha a ser confirmada depois.

Terreiro de candomblé: vide roça de candomblé.

Xirê: festa, festividade, a primeira parte de uma festa pública dedicada aos Orixás ou ordem de procedência na qual são cantados os cânticos dos Orixás, iniciando-se por Exu e terminando com Oxalá. Yor: siré.

OS CÂNTICOS QUE ENCANTARAM *Pierre Verger*

Este glossário foi elaborado com base nos verbetes dos seguintes materiais e livros: Yeda Pessoa de Castro: Falares africanos na Bahia: um vocabulário afro-brasileiro, Rio de Janeiro: TOPBOOKS, 2001, Angela Lühning: A música no candomblé nagô-Ketu: estudos sobre a música afro-brasileira em Salvador, Bahia [publicada na Alemanha como Musik im candomblé nagô-Ketu: Studien über afro-brasilianische Musik in Salvador; Bahia. Hamburg: Verlag Karl Dieter Wagner, 1990, traduzida por Raul Oliveira, em vias de publicação pela EDUFBA), além do livro de Pierre Verger: Orixás: Deuses Iorubás na África e no Novo Mundo. Salvador: Corrupio, 1997 e do artigo deste mesmo autor: "A contribuição especial das mulheres ao candomblé do Brasil", In: Artigos - Tomo I. São Paulo: Corrupio, 1992, p. 96-117.

*Chama-se atenção para o termo candomblé em especial: é apontado por CASTRO (2005) como termo relacionado com candombe ou kandombe (kik./kimb., que significa reza, louvação), termo de origem banto, que também significa rede de pescar camarões; ou relacionado ao candombe mineiro, manifestação religiosa afro-brasileira de origem banto, de vocabulário predominantemente umbundo. A autora também aponta para o termo kik./ kim./umb. Kandombele-kulombela – lomba que significa rezar invocar, pedir pela intercessão dos deuses e o local onde se realiza o culto. Contudo, todas essas são possíveis relações etimológicas provavelmente consideradas devida à similaridade fonética entre os termos, não havendo, no entanto, até hoje uma comprovação exata da origem etimológica do termo candomblé, aceita de forma unânime pelas várias nações.

Elaboração e compilação por Laila Rosa.

Notas Biográficas de Eunice Katunda, Martim Gonçalves e Pierre Verger

Eunice Katunda

por Aaron Lopes

  Pianista, compositora, comunista, feminista e filha de Oxum, nasceu em 14 de marco de 1915 na cidade do Rio de Janeiro, e recebeu o nome de Eunice do Monte Lima. Começou os estudos de piano aos cinco anos de idade e, aos 19 tornou-se uma virtuose ao piano, quando começou a se apresentar como solista. No ano de 1934, casa-se com o matemático Omar Catunda, que foi professor da USP e, já aposentado, professor da Universidade Federal da Bahia, instituição que batizou a biblioteca do Instituto de Matemática com o seu nome. A partir de então, assume Eunice Katunda como nome artístico e, anos mais tarde, ao se separar de Omar, muda apenas uma letra do seu nome, assumindo Eunice Katunda. Sua trajetória musical pode ser dividida em duas fases de vertentes composicionais: o dodecafônico e nacionalista. A primeira inicia quando ela conhece o compositor alemão Hans-Joachim Koellreutter, fundador do grupo Música Viva, o qual integrou junto com Camargo Guarnieri, Guerra-Peixe e Edino Krieger. Em 1948, Katunda vai à Itália e conhece os compositores Luigi Nono e Bruno Madema, expoentes da vanguardista escola italiana do começo do século XX. (e mais tarde da Escola de Música da UFBA)

A trajetória de Eunice começa a mudar ao se aproximar das ideias de Mário de Andrade, muito em função da "carta aberta aos músicos do Brasil" de Camargo-Guarnieri. No período, aproxima-se da Bahia e da música de candomblé, se tornando filha espiritual de Mãe Senhora do Ilê Axé Opô Afonjá e muito amiga de Pierre Verger, com quem manteve um contato intenso por carta entre os anos de 1956 a 1960. O trabalho composicional de Eunice ainda está por ser descoberto pelo grande público e ter a sua importância reconhecida pelo contexto cultural em que viveu. Sua história de vida complexa, suas trajetórias musicais e composicionais e seu pensamento acerca da cultura musical brasileira e vanguardista são muito valiosos para o entendimento da música que se fez e se faz ainda hoje no Brasil. Eunice Katunda faleceu em 1990, em São Paulo.

Martim Gonçalves

por Jussilene Santana

Eros Martins Gonçalves Pereira nasceu em 14 de setembro de 1919, em Recife, Pernambuco. Com graduação em medicina e especialização em psiquiatria, desde cedo mostra aptidão para as artes. No início de 1940 muda-se para o Rio de Janeiro, voltando-se de vez para a carreira artística. Por meio de bolsas de estudo, empreende viagens de formação para a Inglaterra e França. De volta ao Brasil, concebe cenários, críticas e trabalhos de arte-educação com teatro de bonecos. No período, cria com outros artistas e intelectuais a Sociedade Brasileira de Marionetistas, que pesquisa as manifestações populares do Nordeste, em especial o teatro de mamulengos.

Casa de Oxumarê

Em 1951, juntamente com Maria Clara Machado, funda o Teatro Tablado, com quem se inicia em direção teatral. Entre 1956 e 1961, a convite do reitor Edgar Santos, concebe e dirige a Escola de Teatro da Universidade Federal da Bahia, primeira escola teatral no Brasil ligada a uma universidade. Durante a primeira administração, a Escola se firma como um Centro profissionalizante de excelência, único no país, interdisciplinar e articulado com outros centros de formação dos EUA, Europa e Oriente. Em paralelo a série de amplos eventos culturais, muitos ligados a cultura popular nordestina - em especial a realização da Exposição Bahia na V Bienal de São Paulo, em 1959, com a colaboração da arquiteta Lina Bo Bardi, com quem Martim realizou inúmeros trabalhos - a Escola de Teatro possibilita que os procedimentos do teatro moderno sejam trabalhados sistematicamente em Salvador.

Quando retorna ao Rio de Janeiro, ganha o prêmio de Revelação como diretor pela Sociedade de Críticos Teatrais. Nos anos seguintes, monta textos como "Bonitinha, mas ordinária", de Nelson Rodrigues e "Queridinho", de Charles Dyer. No início da década de 1960, coordena a tradução e organiza a publicação da obra de Stanislaviski no Brasil, ação que terá intensos reflexos no ensino do teatro no país. Ao lado de série de espetáculos, onde lança novos atores e cenógrafos, assina por nove anos a coluna teatral de *O Globo*, participando dos debates sobre os rumos da linguagem teatral. Em quase 30 anos de carreira, Martim Gonçalves tornou-se uma das personalidades mais polêmicas e discutidas do teatro brasileiro em sua época. Um artista de gênio difícil, raramente propenso a fazer concessões para conquistar simpatias. Mas, indiscutivelmente, um dos homens de teatro mais completos do país. Prova disso é que desempenhou com talento e rigor as mais diferentes funções da área teatral: tradução, direção, cenografia, figurino, produção, crítica, pesquisa e ensino. Faleceu em Recife, em 18 de março de 1973.

OS CÂNTICOS QUE ENCANTARAM *Pierre Verger*

PIERRE FATUMBI VERGER

por Angela Lühning

Pierre Verger nasce como Pierre Eduard Leopold Verger em 4 de novembro de 1902 em Paris. Seu pai, de origem belga, se estabeleceu em Paris com uma pequena empresa gráfica que durante algum tempo sustentou a família, composta pelos pais e 3 filhos, até decretar falência. Os dois irmãos de Verger faleceram cedo, bem como o pai e, em 1930, a Mãe. Órfão e sem muito apreço pela vida burguesa em Paris, Verger aprendeu o ofício de fotógrafo e, a partir de 1932, começou a viajar pelo mundo, sustentando-se com nova profissão. Suas fotos chamaram atenção e ele foi contratado por alguns jornais para coberturas jornalísticas, em uma época que ainda não conhecia a televisão e suas imagens instantâneas. Com suas viagens ao redor do mundo Verger conheceu todos os continentes, tendo desenvolvido um especial interesse pelas inúmeras expressões do ser humano com suas diferenças culturais. As suas fotos sempre são espontâneas e nunca posadas para mostrar o cotidiano das pessoas nos mais diversos contextos.

Nos anos 40, Verger tenta repetidamente fixar residência no Brasil, o que não consegue por falta de visto. Durante a 2ª Guerra Mundial é mobilizado para servir na África como telegrafista, antes de retornar a América Latina. Após vários anos na Argentina e nos países andinos, finalmente consegue um visto para o Brasil, trabalhando na revista *O Cruzeiro*. Isso lhe permite residir em Salvador e viajar pelo Nordeste, realizando inúmeras reportagens sobre o cotidiano desta região. A sua vida em Salvador também traz contato bastante próximo com a cultura afro-brasileira, que desperta um interesse maior, torna-se sua paixão e seu compromisso até o final de sua vida. Da Bahia empreendeu inúmeras viagens para a África Ocidental, fortalecendo relações mútuas e reaproximando laços históricos.

Assim o fotógrafo aos poucos vira escritor, pesquisador e historiador, levantando informações sobre a etnobotânica, o tráfico dos escravos, escrevendo o livro que se torna sua tese de doutorado em Estudos Africanos, orientado por Ferdinand Braudei na Sorbonne, aos 66 anos, mesmo que ele não tivesse nem concluído a escola. A partir daí a sua produção bibliográfica cresce e alcança um volume considerável com mais de 30 livros e cerca de 120 artigos. Além disso, começa a organizar o seu acervo fotográfico com 62.000 negativos, referentes ao mundo inteiro, mas com ênfase na África e no Brasil.

Desde 1960 escolheu a Vila América, na Vasco da Gama, em Salvador, como local de moradia, região onde tinha muitos amigos e faleceu em 11 de fevereiro de 1996. O seu enorme acervo, ele tinha doado em vida para a Fundação Pierre Verger, criada em 1988 para dar continuidade a sua obra, que surgiu em paralelo a uma vida intensamente vivida, dedicada à cultura afro-brasileira. Ele foi iniciado como babalaô em 1953, desde então assinando Pierre Fatumbi Verger, além de receber vários cargos e títulos na África e em casas de candomblé em Salvador. Assim, tornou-se *Essa Elemaxó, Ojé Rinde, Otun Mogba Xangô Omô e Xangôwimi* e inspirador para muitas reflexões e pesquisas.

Referências Bibliográficas

Livros, Artigos e Publicações Científicas

ALBUQUERQUE, Wlamyra. O jogo da dissimulação. Abolição e cidadania negra no Brasil. São Paulo, Companhia das Letras, 2010.

BASTIDE, Roger. Imagens do Nordeste místico em branco e preto. Rio de Janeiro, "Seção de Livros" da Empresa Gráfica O Cruzeiro S.A., 1945.

BRESCIANI, Carlos PE, A primeira evangelização das aldeias ao redor de Salvador, Bahia, 1549- 1569. Salvador, Secretaria Municipal de Educação/Fundação Gregório de Mattos, 2000.

BURKE, Peter (org.). A escrita da História. Novas Perspectivas. São Paulo, Unesp, 1991.

CAMPOS, João da Silva. "Tradições bahianas". Revista do Instituto Geográfico-Histórico, nº 56 (1930).

_____. "Ligeiras notas sobre a vida íntima, costumes e religião dos africanos na Bahia", Anaes do Arquivo Público da Bahia, nº XXIX, Bahia, imprensa Oficial, 1946.

CARNEIRO, Edison. candomblés da Bahia. Salvador, Publicações do Museu do Estado/Secretaria de Educação e Saúde, 1948.

_____. Religiões negras: notas de etnografia religiosa. Rio de Janeiro, Civilização Brasileira, 1936.

CASTILLO, Lisa Earl. Entre a oralidade e a escrita. Salvador, EDUFBA, 2008.

_____. /PARÈS, Nicolau. "Marcelina da Silva e seu mundo: novos dados para uma historiografia do candomblé Ketu". Afro-Ásia, nº. 36 (2007).

CASTRO, Yeda Pessoa de. Falares africanos na Bahia: um vocabulário afro-brasileiro. Rio de Janeiro, Topbooks, 2005

COSTA, Paulo S. da. Ações sociais da Santa Casa de Misericórdia da Bahia. Salvador, Editora Contexto, 2001.

HABSBURGO, Maximiliano de, Bahia 1860- Esboço de viagem. (Org. Moema Parente AUGEL). Salvador, Fundação Cultural do Estado / Rio, Tempo Brasileiro, 1982.

HERSKOVITS, Melville J. "Drums and Drummers in Afro-Brazilian Cult Life". The Musical Quarterly, n° 30 (1944).

LEAL, Geraldo Costa. Perfis Urbanos da Bahia - Os bondes, a demolição da Sé, o futebol e os galegos. Salvador, Gráfica Santa Helena, 2002.

LIMA, Vivaldo da Costa, A família de santo nos candomblés jejes-nagôs da Bahia: um estudo de relações intragrupais. 2ª ed. Salvador, Corrupio, 2003.

LODY Raul. "Um documento do candomblé na cidade de Salvador". Salvador, Fundação Cultural do Estado da Bahia/ Rio de Janeiro, Funarte, 1985.

LODY Raul/ SÁ, Leonardo. O atabaque no candomblé baiano (Coleção Instrumentos Musicais no Brasil). Rio de Janeiro, Funarte/ MinC, 1989.

LÜHNING, Angela. "'Acabe com este santo, Pedrito vem aí'... Mito e realidade da perseguição policial ao candomblé baiano entre 1920 1942". Revista USP, n° 28 (1995/96).

_____. (org.) Verger – Bastide: Dimensões de uma amizade. Rio de Janeiro, Bertrand Brasil 2002.

_____. (org.) Pierre Verger, Repórter Fotográfico. Rio de Janeiro, Bertrand Brasil, 2004.

_____. Memórias do Engenho Velho de Brotas. Salvador, Fundação Pierre Verger, 2009.

LUZ, José Augusto/ SILVA, José Carlos. História da educação na Bahia. Salvador, Arcádia, 2009.

MATTOSO, Katia M. de Queiroz. Bahia, século XIX. Uma província no Império. Rio de Janeiro, Nova Fronteira, 1992.

NAEHER, Julius. Land und Leute in der Brasilianischen Provinz Bahia. Streifzüge. Leipzig, Gustav Weigel Verlag, 1881.

NASCIMENTO, Ana Amélia. As dez freguesias de Salvador. Salvador, EDUFBA, 2007.

PARÈS, Luis Nicolau. A formação do candomblé: história e ritual da nação Jeje na

Bahia. Campinas, Editora da Unicamp, 2006.

REBOUCAS, Diógenes/ GODOFREDO FILHO. Salvador da Bahia de Todos os Santos no Século XIX. Salvador, Odebrecht, 1996.

REIS, João José. Domingos Sodré. Um sacerdote africano. Escravidão, liberdade e candomblé na Bahia do século XIX. São Paulo, Companhia das Letras, 2008.

_____. Rebelião escrava no Brasil. A história do levante dos Malês em 1835. SãO Paulo, Companhia das Letras, 2003.

REIS, João José/ SILVA, Eduardo. Negociação e conflito: a resistência negra no Brasil escravista. São Paulo, Companhia das Letras, 1989.

RODRIGUES, Raimundo Nina, Os africanos no Brasil. Rio de Janeiro, Companhia Editora Nacional, 1977.

SAMPAIO, Consuelo Novais. 50 anos de urbanização. Salvador da Bahia no séc. XIX. Salvador, Odebrecht, 2005.

SANTANA, Jussilene. Impressões modernas. Teatro e jornalismo na Bahia. Salvador, Vento Leste, 2009.

TEIXEIRA, Cid. A história da Eletricidade na Bahia. Salvador, EPP 2005.

VER HUELL, Q. M. R. Minha primeira viagem marítima, 1807-1810. Salvador, EDUFBA, 2007.

VERGER, Pierre Fatumbi. Dieux d'Afrique. Paris, Paul Hartmann, 1957.

_____. Notas sobre o culto aos orixás e Voduns. São Paulo, Edusp, 1999 (1957).

VILHENA, Luis dos Santos. A Bahia no Século XVIII. Salvador, Editora Itapuã, 1969 (1ª edição de 1802).

Periódicos

A Bahia, "candomblé" Segunda-feira 18/4/1904, 20/4/1904 e 21/4/ 1904.
Diário de Notícias, "Fetichismo e africanismo", 18/09/1911.
A Tarde, "Os candomblés na cidade" 3/10/1922, p.2.
Estado da Bahia, "Misérias de uma cidade rica e bonita", 26/7/1937 e 2/8/1937.

Casa de Oxumarê

Correspondências do Acervo da Fundação Pierre Verger

Martin Gonçalves - Pierre Verger
Roger Bastide - Pierre Verger
Eunice Katunda - Pierre Verger

Documentos de acervos específicos e de arquivos

Inventário 07/3241/14, Secção judiciária, Inventários, referente a Antônio Manoel do Bomfim, Arquivo Público da Bahia.
KATUNDA, Eunice. Os cinco sentidos (manuscrito não publicado, Acervo Igor Katunda, gentilmente disponibilizado pelo próprio)

Entrevistas realizadas entre 2000 e 2010 com:

Alcides Teles Cardoso (Seu Cidinho), Ana Maria Araújo Santos (Ana de Ogum), Angelina Gomes Moura, Carlos Alberto Quirino, Edelzuita da Silva Costa (Dona Filinha), Edelzuita Anunciação de Souza, Edna Gomes, Erenilton Bispo dos Santos, Estefânia Gonçalves da Silva (Dona Sinhazinha), Etelvino Bispo da Conceição, Geraldo do Nascimento, Idalice Pereira dos Santos (Dona Délia), Januário Terêncio Gomes, Margarida Nayr da Anunciação (Mãe Kutu), Maria Isabel Pereira Vargas (Dona Cotinha), Marina Gomes, Sandra Bispo, Tânia Bispo, Silvanilton Encarnação da Mata, Urbano da Conceição Farias, Walter Neves.

Créditos das Fotografias

p.22 - Pierre Verger em sua casa em 1990 (foto Jean Loup-Pivin, acervo Fundação Pierre Verger)

p.32 - Desenho das margens do Dique de Ver Huell (Ver Huell / Holthe / EDUFBA 2007)

p.37 - Mapa de Carlos Weyl, cerca de 1960, detalhe da região da Casa de Oxumarê (Rebouças/Godofredo Filho, 2006 / Arquivo Público do Estado da Bahia)

p.41 - Traçado do bonde na Vasco da Gama, final dos anos 1940 (foto Pierre Verger / acervo Fundação Pierre Verger)

p.42 - Casas na Vasco da Gama, por volta de 1950 (foto Pierre Verger / Acervo Fundação Pierre Verger)

p.45 - Pai Pérsio de Xangô (acervo Casa de Oxumarê); Mãe Edelzuita de Omolu (acervo Casa de Oxumarê)

p.46 - Mãe Cotinha de Oxalá (acervo Casa de Oxumarê); Mãe Ana de Ogum (imagem do vídeo Odum Adotá)

p.47 - Mãe Bete de Oxalá (imagem do vídeo Odum Adotá); Pai Cidinho (acervo Casa de Oxumarê)

p.49 - Mãe Walquíria de Oxum (imagem do vídeo Odum Adotá)

p.50 - Estefânia, Gamo de Xangô (acervo Casa de Oxumarê); Mãe Cidália de Irôco (acervo Casa de Oxumarê)

p.52 - Mãe Simplícia na recepção com Getúlio Vargas, início dos anos 1950 (acervo Casa de Oxumarê)

p.53 - Filha de santo na recepção da comitiva em Caldas de Cipó (acervo Casa de Oxumarê)

Casa de Oxumarê

p.55 - Mãe Nilza de Ogum (acervo Casa de Oxumarê)

p.56 - Elza de Oxóssi (imagem do vídeo Odum Adotá)

p.57 - Tia Dó de Ossain (acervo Casa de Oxumarê)

p.58 - Foto do jornal Tribuna da Bahia

p.59 - Foto da reunião da "Frente de defesa do terreiro" (acervo Casa de Oxumarê)

p.60 - Foto das assinaturas da frente de defesa (acervo Casa de Oxumarê)

p.61 - Mayé Tania de Oxóssi e Egbomi Sandra de Iemanjá (acervo Casa de Oxumarê)

p.62 - Ofarerê registrando depoimentos (acervo Casa de Oxumarê)

p.63 - Luís Claudio Nascimento (acervo Casa de Oxumarê)

p.72 - Coroa Bannya, Adê (foto de Célia Aguiar [BA], publicada em Raul Lody, 1985)

p.80 - Casa de Verger (Vila América, anos 1960) [à esquerda] (foto Pierre Verger / acervo Fundação Pierre Verger); Pierre Verger na porta de casa, 1990 [à direita] (foto Georg Sütterlin / acervo Fundação Pierre Verger)

p.83 - Carta de Pierre Verger a Seu Geraldo (acervo Fundação Pierre Verger)

p.84 - Eunice Katunda (acervo da família de Eunice Katunda)

p.86 - Seu Geraldo no campo de futebol atrás da Casa de Oxumarê, anos 1950 (foto Pierre Verger / acervo Fundação Pierre Verger)

p.88 - Seu Erenilton, anos 1950 (foto Pierre Verger / acervo Fundação Pierre Verger)

p.89 - Anotações da caderneta pessoal de Pierre Verger (acervo Fundação Pierre Verger)

p.92-94 - Mãe Cotinha de Ewá, Mãe Simplícia de Ogum, Mãe Nilzete de Iemanjá (acervo Casa de Oxumarê / fotos Ricardo Pamfílio)

p.95 - Babalorixá Silvanilton Encarnação da Mata [Babá Pecê] (foto André Santos e Frederico Lacerda)

p.96 - Escada da Casa de Oxumarê (foto Ricardo Pamfílio)

p.100 - Roger Bastide no Benin, 1958, durante cerimônia religiosa (foto Pierre Verger / acervo Fundação Pierre Verger); Bastide e Verger no aeroporto de Lagos [Nigéria] em 1958 (acervo Fundação Pierre Verger)

p.101 - Bastide e Verger no aeroporto de Lagos (Nigéria) em 1958 (acervo Fundação Pierre Verger)

p.111 - Trecho da carta de Martim Gonçalves a Pierre Verger (acervo Fundação Pierre Verger)

p.113 - Carta de Pierre Verger a Eros (acervo Fundação Pierre Verger) p.115 - Carta de Pierre Verger a Gilbert Rouget (acervo Fundação Pierre Verger)

p.118 - Lista de participantes da gravação, 1958 (acervo Fundação Pierre Verger)

p.119 - Seu Paizinho no Afoxé Filhos de Ghandi, anos 1950 (foto Pierre Verger / acervo Fundação Pierre Verger)

p.121 - Seu Januário, 2005 (vídeo Oxumarê / Marcos Resende)

p.123 - Uma típica orquestra "jazz", anos 1940 (foto Lázaro Roberto / acervo Angela Lühning)

p.124 - "Jazz Jonas", orquestra com outra formação, anos 1940 (foto Lázaro Roberto / acervo Angela Lühning)

p.125 - Seu Geraldo, anos 1950 (foto Pierre Verger / acervo Fundação Pierre Verger)

p.127 - Seu Erenilton, 2005 (vídeo Oxumarê / Marcos Resende)

p.128 - Dona Filhinha em 2005 (Vídeo Oxumarê / Marcos Resende)

p.129 - Mãe Nilzete, 1958 (foto Pierre Verger / acervo Fundação Pierre Verger)

p.137 - Ogãs da Casa de Oxumarê, anos 1970 (acervo Tânia Bispo / Casa de Oxumarê)

p.143 - Lavadeiras no Dique, anos 1950 (foto Pierre Verger / acervo Fundação Pierre Verger)

p.145 - Barcos na travessia do Dique, anos 1940-1950 (foto Pierre Verger / acervo Fundação Pierre Verger)

p.149 - Moda típica dos anos 1940/50 em Salvador (foto Pierre Verger / acervo Fundação Pierre Verger)

p.152 - Desenho dos alabês do Oxumarê (Raul Lody / Leonardo Sá, 1989)

p.156 - Festa no barracão da Casa de Oxumarê, anos 1970-1980 (acervo Casa de Oxumarê)

p.161 - Cipriano Bomfim, anos 1950 (foto Pierre Verger / acervo Fundação Pierre Verger)

p.166 - Anotação das letras de cantigas para Exu, 1958 (acervo Fundação Pierre Verger)

p.167 - Anotações de letras de cantigas para Ogum, 1958 (acervo Fundação Pierre Verger)

p.168 - Anotações de Pierre Verger sobre o projeto da gravação, 1958 (acervo Fundação Pierre Verger)

p.172 - Atabaques (acervo Fundação Pierre Verger)

Casa de Oxumarê
OS CÂNTICOS QUE ENCANTARAM *Pierre Verger*

Uma publicação da Arole Cultural

Acesse o site
www.arolecultural.com.br